VIVENDO NA LUZ
Um Guia para a Transformação Pessoal e Planetária

SHAKTI GAWAIN
LAUREL KING

VIVENDO NA LUZ

Um Guia para a Transformação Pessoal e Planetária

Tradução
BEATRIZ SIDOU

Versão Final
SÔNIA DANTAS CAFÉ

EDITORA PENSAMENTO
São Paulo

Título do original:
Living in the Light
A Guide to Personal and Planetary Transformation

Original U.S. Publication 1986 by
Whatever Publishing, Inc. ISBN 0-931432-14-6

Foto da 4ª Capa: Russ Fischella

Edição
1-2-3-4-5-6-7-8-9-10

Ano
91-92-93-94-95

Impresso em nossas oficinas gráficas.

Para o Universo

Agradecimentos

Desejo agradecer a Laurel King, que desempenhou um papel importante, ajudando-me na criação deste livro. Ela me prestou assistência na orientação de laboratórios durante anos e conhece muito bem o meu trabalho. Recolheu e organizou muito material tirado das fitas gravadas nesses laboratórios, escreveu grande parte de muitos dos capítulos e criou muitas das meditações e dos exercícios. E ainda, o que é mais importante, seu espírito brilhante e a sua criatividade cintilante fizeram com que trabalhar no livro fosse algo muito divertido!

Eu também gostaria de expressar a estima que tenho por minha editora, Kim Peterson, pelas inúmeras sugestões e contribuições valiosas. Desejo agradecer a meus sócios na Whatever Publishing, Marc Allen e Jon Bernoff, por seu apoio. Durante anos, Marc experimentou todas as maneiras possíveis para me fazer escrever este livro. Fico satisfeita por seus esforços estarem finalmente sendo recompensados!

Agradecimentos especiais para meu querido amigo Dean Patyk, por seu amor e apoio inabaláveis. Reconheço agradecida o apoio da minha família e amigos maravilhosos que participaram em meu crescimento e no processo criativo que entrou neste livro. Também desejo agradecer a Michael Kayden, por ser um amigo importante e um exemplo para mim neste processo.

E agradeço a vocês, meus leitores, clientes, alunos e amigos que me proporcionam tanto amor, tanto estímulo e tanta compreensão. . .

Sumário

INTRODUÇÃO 11
PRIMEIRA PARTE – OS PRINCÍPIOS 23
1. Um novo modo de vida 25
2. A força superior que há dentro de nós 29
3. A intuição 32
4. Como me tornar um canal criativo 38
5. O mundo como nosso espelho 48
6. O espírito e a forma 57
7. O masculino e o feminino que existem em nós 67
8. Homens e mulheres 76
9. Oriente e Ocidente: um novo desafio 84

SEGUNDA PARTE – VIVENDO OS PRINCÍPIOS 89
10. Como confiar na intuição 90
11. Os sentimentos 102
12. O tirano e o rebelde 108
13. A vítima e o salvador 113
14. Como encontrar o equilíbrio 121
15. Os relacionamentos 125
16. Nossos filhos 140
17. Sexualidade e paixão 149
18. O trabalho e o divertimento 159
19. O dinheiro 166
20. A saúde 179
21. O corpo ideal 186
22. A vida e a morte 199
23. Como transformar o nosso mundo 202
24. Uma visão 216

Introdução

O começo da minha jornada

Tive sempre um desejo apaixonado de compreender como funciona o universo, a razão de ser da vida e qual o significado e o propósito de eu estar aqui. Rememorando o que passou, vejo que em toda a minha vida .estive em busca de compreensão e de verdade.

Fui criada numa família de intelectuais, bem instruída e sem religião. Meus pais eram basicamente ateus e, ainda muito pequena, lembro-me de achar que a crença em Deus fosse uma invencionice, uma fantasia ou uma superstição do ser humano, criada para ajudar as pessoas a se sentirem melhor em relação ao dilema nada explicado e inexplicável em que parecemos estar. A existência humana ou qualquer outra espécie de existência seria apenas um acidente da natureza e não teria nenhum significado especialmente compreensível. Eu preferia admitir que não sabia como ou por que chegamos aqui, em vez de adotar uma explicação simplista para ter alguma sensação de segurança. Eu acreditava que a verdade era racional e que nada que não pudesse ser demonstrado cientificamente não existia. Também me sentia um tanto condescendente para com as pessoas mais fracas, que precisavam inventar um deus em quem acreditar.

O lado positivo dessa educação foi que eu não assimilei grande parte da rígida programação, profundamente negativa, sobre o certo e o errado, sobre o céu e o inferno e sobre a idéia de pecado, que tanta gente recebe em seus primeiros ensinamentos religiosos. Também tive pais que realmente me amavam e que de alguma forma me viam como um ser brilhante, inteligente e cheio de energia. Embora eles se houvessem divorciado quando eu tinha menos de dois anos de idade, recebi bastante apoio deles, especialmente de minha mãe, com quem eu vivia.

Minha mãe é uma pessoa corajosa e de cabeça muito aberta. Ela não parece ter muitos dos temores que tanta gente de sua geração tem, por isso eu nunca fui condicionada para achar que o mundo é um lugar perigoso e assustador. Ela gosta de explorar lugares novos e nós viajávamos bastante quando eu era pequena – viajamos por todos os Estados Unidos, para as Antilhas, o México, o Havaí e a Europa. Também nos mudávamos com freqüência. Até os meus quinze anos, jamais vivi em um lugar por mais de dois ou três anos. Minha mãe também gosta de experimentar coisas novas e, para mim, ela representou um grande modelo de coragem e de espírito pioneiro. Ela havia sido uma das primeiras mulheres norte-americanas de sua geração educadas para ter um parto natural. Fui o primeiro bebê a que o médico dela ajudou a nascer sem anestesia; fui abençoada com um parto muito feliz.

A família de mamãe era *quaker* e ainda usávamos a chamada "linguagem direta" ao falar com vovó (dizíamos "vós" em vez de "você", o que para os *quakers* é o reconhecimento do deus que existe dentro de cada pessoa). Dessa maneira, num nível profundo, absorvi o grande respeito pelo espírito e a preocupação pela humanidade que estão estruturados na religião *quaker*.

Quando eu tinha treze anos, passei por uma crise emocional. Desencadeada inicialmente pelo final do meu primeiro romance (com um homem "mais velho" de 19 anos, que eu tinha a certeza de jamais encontrar outro igual), ela foi aumentando, até se transformar num profundo e demorado desespero existencial. Dei uma olhada muito séria na vida e cheguei à conclusão de que realmente ela não tinha sentido ou significado. Eu já podia ver que todas as coisas que supostamente deveriam ter um significado na vida (como a educação, os relacionamentos, o sucesso ou o dinheiro) eram, em si, coisas passageiras, desprovidas de sentido e vazias. Não parecia haver nada mais para preencher esse vazio. Eu estava profundamente desiludida, deprimida, e continuei nesse estado de espírito por muitos e muitos anos.

Rememorando, vejo que eu estava vivendo uma experiência que muitas pessoas, mais cedo ou mais tarde, também vivem: aquilo a que os místicos chamam de "atravessar o véu da ilusão". É o momento em que verdadeiramente reconhecemos que o nosso mundo físico não é a realidade final e começamos a nos voltar para dentro, para descobrir a verdadeira natureza da existência. Nesses momentos, em geral sentimos emocionalmente que estamos tocando o fundo; mas no instante em que realmente tocamos o fundo, caímos por uma espécie de alçapão num novo mundo luminoso – o reino da verdade espiritual. Somente caminhando pela mais completa escuridão é que podemos sair dela para a luz.

Novas experiências

Nos anos que se seguiram, comecei a ter novas experiências, aberturas, uma consciência cada vez maior, que não se adaptava à minha estrutura racional anterior. Estudei psicologia na universidade e me envolvi com alguns grupos, inclusive com grupos de treinamento da sensibilidade que, além de me permitirem liberar a velha dor emocional, levaram-me a novos sentimentos de amor, de prazer e de harmonia com todos. Fumei um pouco de maconha e experimentei um pouco de LSD; estas foram experiências muito positivas para chegar a novos níveis de consciência e percepção. Estudei dança e descobri que, quando estava dançando, muitas vezes eu tinha um sentimento de alegria, como se alguma força superior houvesse tomado conta de mim e estivesse me conduzindo por um caminho sem restrições e cheio de emoções.

Sempre me interessei pela filosofia oriental e, assim, lia sobre budismo e hinduísmo. Pratiquei a ioga e a meditação e descobri que elas me ajudavam a me sentir mais segura, mais tranqüila e mais sintonizada comigo mesma. Depois da universidade, passei dois anos viajando pelo mundo, vivi durante muitos meses na Índia, onde adquiri uma profunda consciência da tradição mística oriental. As viagens foram uma experiência muito importante para mim porque, com pouco dinheiro e sem planos reais, eu vivia seguindo apenas a minha intuição. De início, comecei saindo para umas férias na Itália e acabei fazendo uma viagem de dois anos pelo mundo. Aprendi que poderia viver muito feliz praticamente sem possuir coisa alguma, e que poderia me movimentar com segurança em lugares que eu desconhecia.

Como me tornei consciente

Quando voltei aos Estados Unidos, estava amarrada numa coisa chamada "consciência". Eu não conseguia definir muito bem o que era, mas sabia que era muito importante aprender mais sobre ela, pois nada mais tinha importância. De que adiantaria seguir uma carreira, ir atrás de dinheiro ou de relacionamentos, quando eu compreendia que, se tivesse mais "consciência", automaticamente teria todas essas coisas?

Mudei para a região da baía de San Francisco, que via como sendo a vanguarda da busca à consciência. Mergulhei nessa busca. Freqüentei aulas e seminários, lia avidamente, meditava e conversava sempre com outras pessoas envolvidas na mesma busca. Depois de ler *Handbook to Higher Consciousness* [*Guia para uma consciência superior*] de Ken Keyes, fui viver no centro por ele criado em Berkeley, onde trabalhamos intensamente em nossa consciência, dia e noite, durante um ano. Depois disso, continuei a viver em comunidades por muitos anos, com outros igualmente envolvidos num intenso processo de crescimento pessoal. Eu fazia qualquer coisa que pudesse para obter o dinheiro suficiente para viver – trabalhava em casas, escritórios, fazia bicos aqui e ali – enquanto me concentrava no meu *verdadeiro trabalho*: no meu trabalho interior.

Isto foi há dez anos e, desde essa época, minha vida foi totalmente dedicada ao meu crescimento e evolução como ser consciente. Embora eu desejasse milhares de coisas, compreendi que elas todas viriam até mim como resultado de aprender a viver de modo completo e livre em conformidade com os verdadeiros princípios do universo. E, assim, minha paixão maior se tornou a minha jornada em direção à luz.

Meu nome

As pessoas estão sempre me fazendo perguntas sobre o meu nome; por isso acho que devo contar a vocês algo sobre ele.

Enquanto eu estava na Índia, fiquei muito fascinada pela religião hindu e comecei a estudá-la. Como eu não havia sido educada como cristã religiosa, o cristianismo nunca teve muito interesse para mim. Eu gostava muito de certas idéias do budismo, mas ele me parecia um pouco intelectual demais. Os mitos, símbolos e divindades da religião hindu tocavam num ponto mais profundo de minha alma. É uma religião muito complexa, não chego a pretender compreendê-la, mas apreendi algumas coisas.

Na religião hindu, há uma trindade de três divindades principais, que simbolizam os três aspectos da vida. Brahma é o criador, Vishnu o preservador e Shiva o destruidor. Shiva representa a constante mutação do universo, o fluxo da vida, o fato de que tudo deve ser constantemente destruído para renascer. Ele nos lembra que devemos sempre largar aquilo a que nos agarramos, para fluir com o movimento da vida. Muitos de seus devotos apaixonados abandonam o lar e suas posses e perambulam livremente, para acompanhar o fluxo da energia do universo, na qual confiam, esquecidos de si mesmos. Shiva também é conhecido como o Senhor da Dança, e dizem que é a sua dança que mantém o universo em movimento. Ele é representado como um homem muito bonito e vigoroso, com longos cabelos soltos (diz-se que seu cabelo é o sagrado rio Ganges). Senti-me irresistivelmente atraída por ele.

Shakti é o aspecto feminino de Shiva. A palavra "shakti" significa "energia" – a energia de que é feito tudo no universo. É a energia da vida – a força de vida que corre pelo nosso corpo. Significa também "energia feminina". Na prática do Tantra hindu, existem técnicas para a iluminação através da canalização da energia sexual da pessoa. Nessa prática, nos referimos ao homem como Shiva e à mulher como Shakti.

Quando voltei da Índia, encontrei meu amigo Marc Allen e durante anos vivi com ele. Ele achava que meu antigo nome não funcionava muito bem para mim e, sabendo do meu "caso" com Shiva, começou a me chamar de Shakti. Gostei e passei a usá-lo.

Na época, não creio que eu compreendesse o quanto esse nome era forte, mas agora com certeza compreendo muito bem. Sinto que a vibração do nome está me ajudando a emergir com toda a minha força.

Gawain é sobrenome de família. É o mesmo nome de Sir Gawain, das lendas do rei Artur. Segundo a definição de um dicionário, significa "águia da batalha", o que acho uma imagem maravilhosa. Para mim, Shakti representa o meu lado feminino e Gawain meu lado masculino.

A visualização criativa

Um dos primeiros seminários de que participei foi o curso do Silva Mind Control. Naquela época eu ainda era bastante cética a respeito dessa espécie de coisas e provavelmente jamais teria ido se minha mãe não tivesse assistido ao curso e não o tivesse recomendado muito. Jamais esquecerei a descrição que ela fez de uma técnica em que você pode criar em sua mente o que deseja que aconteça e isso acontecerá. A minha mente duvidava disso, mas o meu coração aconselhou-me diferentemente: "Desde pequena, eu sempre *soube* que existia a magia, que a magia existe de alguma forma, em algum lugar. Isso me parece a coisa mais próxima da magia de que já ouvi falar..."

Fiz o curso e fiquei espantada! Começamos lentamente e de maneira fácil, com técnicas simples, que qualquer pessoa podia dominar, e aos poucos fomos indo até processos mais difíceis, mas extremamente eficazes. Depois de cinco dias, passei por uma forte experiência psíquica em que, por um período de muitas horas, eu conseguia com toda a certeza apanhar informações específicas que eu não tinha maneira de saber, a não ser através da minha intuição. Essa experiência começou a remover alguns dos limites anteriores a respeito do que eu achava estar dentro dos limites do possível.

A técnica mais importante que aprendi neste curso foi a técnica básica da visualização criativa: relaxar profundamente e depois criar na mente um objetivo desejado exatamente da maneira como você quer que ele aconteça. Comecei a praticar essa técnica e descobri que ela era espantosamente eficaz. Com bastante freqüência, as coisas que eu ficava imaginando rapidamente se tornavam reais e de maneiras inesperadas. Fiquei fascinada com essas novas possibilidades, fiz outros cursos e participei de outros seminários com os mesmos objetivos. Comecei a usar as técnicas de visualização criativa normalmente em minha vida e a ensiná-las a meus amigos. Li o livro de Seth, *The Nature of Personal Reality*, de Jane Roberts, e fiquei muito apaixonada pela idéia de que todos nós criamos a nossa própria realidade. Logo comecei a organizar seminários, a trabalhar com terapia de apoio e, logo a seguir, escrevi *Creative Visualization.**

Quando tive a idéia de escrever o livro, queria apenas colocar no papel todas as noções e técnicas de uma forma didática. Achei que seria um livrinho que eu poderia dar a amigos e, talvez, vender a meus clientes e a alguns interessados. Ao escrever, eu estava cheia de dúvidas: "Quem sou eu para estar escrevendo um livro como esse? Não sou nenhuma especialista!" Mas uma força que vinha lá de dentro continuava a me empurrar, e escrevi. Usei as técnicas da visualização criativa para me ajudar a criar o livro. Consegui que um amigo projetasse a capa. Depois, pendurei a capa na parede e fiquei imaginando e afirmando que o livro já estava pronto. Descobri que o ato de escrever exigia muito menos esforço (a não ser pelas dúvidas que me assaltavam) e, antes que eu percebesse, o trabalho havia se transformado num verdadeiro livro, que alguns amigos e eu publicamos juntos.

O que eu não percebi inteiramente naquela época foi que o livro vinha de uma fonte superior que havia dentro de mim. Num nível de personalidade, eu tinha dúvidas e receios mas, por causa do compromisso interior para comigo mesma, eu queria ir adiante e seguir de qualquer maneira a energia criativa. Como eu tinha uma habilidade natural para pensar e escrever com clareza, estava realmente interessada nessas idéias, tinha um bom conhecimento do assunto e queria assumir alguns riscos; o universo podia usar-me como um canal.

O processo de edição foi a mesma coisa. Meus amigos, Marc

* Publicado pela Editora Pensamento com o título: *Visualização Criativa*.

Allen e Jon Bernoff, e eu conhecíamos muito pouco de negócios ou de editoração, e não tínhamos dinheiro algum, mas tínhamos o desejo de criar nossos livros e nossa música. Confiando em nossos sentimentos e desejando assumir riscos em relação a eles, descobrimos que éramos levados passo a passo naquilo que precisávamos fazer. Fizemos muitos erros durante esse processo (em geral, quando *não* seguíamos nossa orientação interior) e alguns deles foram dolorosos e nos custaram muito caro, mas hoje, passando por muitos milagres, temos uma companhia editora bem-sucedida (a Whatever Publishing, Inc.) e uma empresa de discos (a Rising Sun Records).

Visualização Criativa foi muito bem sucedido, indo além de qualquer fantasia maluca que eu possa ter tido na hora em que estava escrevendo. Embora eu não entendesse nada de *marketing* ou de publicidade que não a de boca a boca, enquanto escrevo isto ele rapidamente se aproxima do meio milhão de exemplares vendidos. Foi traduzido em diversas línguas. Recebi muitas cartas e telefonemas de pessoas pelo mundo afora, dizendo que o livro as havia ajudado a transformar suas vidas. Tudo isso é bastante gratificante, devo dizer, especialmente porque vejo que se trata da força superior do universo em ação. Sinto-me como uma mãe orgulhosa, observando o meu filho conquistando o mundo, fazendo o seu trabalho e sua fortuna, sabendo que ele é meu e, ao mesmo tempo, que não é meu. Ele veio através de mim e eu ajudei a formá-lo e, mesmo assim, ele é um ser, uma entidade autônoma, com seu próprio destino e sua própria ligação com a fonte criadora.

Rendendo-me ao universo

Assim que descobri as técnicas de visualização criativa e vi que funcionavam, fiquei entusiasmada, porque senti que, com o uso delas, eu poderia criar qualquer coisa que quisesse em minha vida. Fiquei eufórica com o sentimento de que poderia ter tudo o que desejasse!

Para mim, este foi um passo importante, pois me tirou da atitude essencialmente impotente que eu tivera antes – achar que a vida é algo que acontece a você e que tudo o que se pode fazer é aproveitá-la o melhor possível. Basicamente, essa era uma posição de vítima – acreditar que o poder está apenas nas pessoas e coisas fora de mim. Usando a visualização criativa, comecei a perceber que a força continuava em mim, que eu poderia optar por criar a minha vida da maneira que desejasse que ela fosse. Isso me dava uma sensação de poder e de liberdade.

Explorando o processo de criar minha própria realidade, aos poucos comecei a compreender que a força criativa que eu sentia vinha de alguma outra fonte, que não era a minha personalidade ou o meu ego. Isso, por uma razão: algumas das coisas que eu *achava* que queria não se manifestavam e, retrospectivamente, eu podia ver que fora para o meu bem que elas não haviam acontecido. Outras coisas aconteciam de maneira tão milagrosa que era como se alguma força invisível estivesse colocando tudo no lugar. Às vezes eu tinha lampejos intuitivos, percepções claras em minha consciência, ou previsões muito exatas, que pareciam vir de alguma fonte muito profunda de dentro de mim. Fiquei cada vez mais interessada em descobrir o que era essa força criativa e como ela funcionava. Comecei a perceber que "ela" (o meu Eu superior) parecia saber mais do que "eu" (a minha personalidade) a respeito de uma porção de coisas. Eu percebia como era bom tentar descobrir o que essa orientação interior estava a me dizer e resolvi segui-la. Sempre que eu fazia isso, parecia dar certo.

Depois, acabei perdendo o interesse em tentar controlar minha vida, em fazer as coisas acontecerem da maneira que eu achava que queria que elas fossem. Comecei a experimentar entregar-me ao universo e a descobrir o que "ele" queria que eu fizesse. Descobri que, na verdade, isso não fazia muita diferença. O universo parecia querer que eu tivesse tudo o que desejava e parecia saber como me orientar na criação disso, melhor do que eu saberia fazê-lo por mim mesma. Mas a ênfase era diferente. Em vez de imaginar o que eu queria, em vez de estabelecer metas e tentar controlar o que acontecia comigo, comecei a me sintonizar com a minha intuição e a agir segundo o que ela me dizia, nem sempre compreendendo por que eu fazia o que estava fazendo. Era como se eu abdicasse de qualquer controle, e me entregasse inteiramente, permitindo que a força superior assumisse o comando.

Por essa época, encontrei uma mulher chamada Shirley Luthman que se tornou uma professora muito importante para mim. Ela liderava semanalmente um grupo e comecei a freqüentá-lo regularmente, continuando a fazer isso durante cinco anos. Ela me ensinou como me entregar e me tornar um canal consciente para o universo. Muitas das idéias deste *Vivendo na luz*, incluindo o conceito de masculino e feminino da maneira como o utilizo, foram inspiradas por Shirley. Sou profundamente grata pelo que ela me ensinou. Ela escreveu um livro chamado *Collection* (publicado pela Mehitabel & Co., Caixa Postal 151, Tiburon, CA 94920, EUA). Caso os leitores estejam interessados, essas são as referências.

Como confiar em mim mesma

Depois de muitos anos com Shirley, me vi diante do velhíssimo problema de como me libertar do guru. Eu gostava tanto dela e a respeitava tanto, aquilo que eu havia recebido dela fora tão precioso, que era muito difícil enfrentar o momento em que eu sabia que não poderia mais procurá-la em busca de respostas.

À medida que ia me sentindo mais segura, aprendendo a confiar em meu canal, Shirley me servia de espelho, refletindo a força do meu feminino interior. Em certo sentido, ela foi a mãe metafísica que me deu o apoio e segurança de que eu precisava, até estar pronta para confiar inteiramente em mim.

Mais tarde, minha orientação interior me disse que eu tinha de parar de contar com ela. Chegara o momento em que eu devia confiar na força do meu canal. Foi ao mesmo tempo aterrorizante e liberador compreender que tenho o meu próprio caminho e que não há ninguém à minha frente para mostrá-lo para mim. Minha vida é uma aventura diária, uma viagem de descoberta a cada momento, tendo apenas o universo como guia...

Vivendo na luz

Desde que escrevi *Visualização Criativa*, muita gente tem me pedido para escrever outro livro. Mais ou menos dois anos depois de

Visualização Criativa ter sido publicado, comecei a ter uma forte impressão de que *iria* escrever outro livro. Certo dia, enquanto caminhava por um bosque, pensei sobre o meu novo livro e me perguntei descompromissadamente como ele deveria se chamar. De repente, minha atenção foi atraída para um trecho onde árvores se agrupavam perto da trilha em que eu estava, e vi um raio de luz que se filtrava pelas árvores, cintilando de encontro às folhas verdes. Foi uma linda visão e, enquanto olhava, me vieram as palavras "Vivendo na luz". Na mesma hora, fiquei sabendo que seria esse o título do meu próximo livro. Lembro-me de ter tido a sensação de que, na verdade, não fora preciso pensar no título, mas que eu o havia "recebido". Cheguei mesmo a ter a impressão de que eu não tinha muita escolha... de que eu estava sendo dirigida para usar esse título!

Senti-me muito inspirada, comecei a tomar notas e contei às pessoas que estava trabalhando em meu novo livro. Meu editor mandou fazer o projeto de uma capa e começou a fazer alguma promoção preliminar. Mas, depois de algum tempo, vi que realmente não havia escrito nada. Continuei pensando que isso iria acontecer, mas não aconteceu. A verdade era que eu não estava tendo a energia necessária para me sentar e escrever; mesmo quando pensava seriamente que "deveria" fazê-lo, de nada adiantava. Nessa época eu estava muito empenhada na filosofia de que a vida não tem de ser uma luta. Eu sabia que, quando o livro estivesse pronto para acontecer, aconteceria sem problemas. Eu só não queria escrevê-lo com a atitude de quem estava fazendo um trabalho duro; eu sentia que chegaria o momento em que a energia estaria tão intensa, que eu não poderia deixar de escrever.

Passaram-se muitos anos e me envolvi com muitas outras coisas. As pessoas continuavam a me perguntar sobre o meu novo livro e eu continuava a dizer que ele apareceria mais cedo ou mais tarde. Particularmente, às vezes eu tinha muitas dúvidas de aceitar o fato de que era possível que ele não acontecesse.

Escrever este livro foi um pouco como estar grávida. Eu sentia alguma coisa se formando e crescendo dentro de mim, e sabia que estava criando, mesmo que parecesse que nada acontecia externamente. O bebê apareceria quando estivesse completamente formado e pronto.

O momento chegou. O livro fluiu com simplicidade e, trabalhando com Laurel, o processo de escrever foi estimulante e relativamente sem esforço. Embora eu esteja envolvida com muitos outros projetos, parece que entre uma atividade e outra encontrei o tempo para concretizá-lo.

Agradeço a todos os que me estimularam a escrever este livro e, para todos vocês, digo: espero que gostem da leitura, tanto quanto eu gostei de escrevê-lo...

Com amor,

Shakti

PRIMEIRA PARTE

OS PRINCÍPIOS

1
Um novo modo de vida

Estamos vivendo numa época muito instigante e de grande impacto. No nível mais profundo da consciência está ocorrendo uma transformação espiritual definitiva. Acredito que estamos sendo desafiados em nível global a abandonar nosso atual modo de vida e a criar um outro inteiramente novo. Estamos de fato engajados no processo de destruir o nosso velho mundo e de construir um novo em seu lugar.

O velho mundo se baseava num enfoque exterior – e ao perdermos nossa ligação espiritual básica, passamos a acreditar que o mundo material era a única realidade. Portanto, ao nos sentirmos essencialmente perdidos, vazios e sozinhos, tentamos sempre encontrar a felicidade e a realização através de "coisas" externas: dinheiro, bens materiais, relacionamentos, trabalho, fama, algumas façanhas, comida ou drogas.

O novo mundo vai sendo construído à medida que nos abrirmos para a força superior do universo que existe em nós e à medida que, conscientemente, permitirmos que essa energia criativa flua através de nós. Quando nos ligamos com a nossa consciência espiritual interior, aprendemos que a força criativa do universo está dentro de nós. Aprendemos também que podemos criar nossa própria realidade e assumir a responsabilidade por isso. A mudança começa dentro de cada pessoa; mas quanto mais pessoas se transformam, a consciência da massa vai sendo cada vez mais influenciada.

Minha observação de que está ocorrendo uma profunda transformação em nosso mundo neste momento baseia-se nas mudanças que vejo dentro de mim mesma, nos que estão à minha volta e na nossa sociedade. Ela é apoiada por informações que recebo de milhares de pessoas com quem trabalho pelo mundo afora.

Vivendo na luz versa sobre essa transformação de consciência que há dentro de cada um de nós e no mundo inteiro. Quando uso as expressões "velho mundo" e "novo mundo" no livro, refiro-me ao velho modo de vida que estamos deixando para trás e ao novo, que estamos criando.

Para muita gente, esta época pode ser perturbadora, porque a situação do mundo e/ou a de nossas vidas pessoais pode parecer estar indo de mal a pior. É como se muitas coisas que funcionavam já não estivessem mais funcionando. Acredito que as coisas *estejam* desmoronando e que elas continuarão assim com intensidade ainda maior, mas não acho que isso seja negativo. Será perturbador apenas na medida em que estivermos emocionalmente ligados ao nosso *velho modo de viver* e teimemos em seguir os velhos padrões, em vez de tentarmos abrir os olhos para as profundas mudanças que estão acontecendo.

Por mais paradoxal que possa parecer, essas mudanças são a bênção mais incrível que qualquer um de nós poderia imaginar. A verdade é que o velho modo de vida que estamos seguindo há séculos não funciona. Ele jamais nos trouxe a profunda realização, a satisfação e a alegria que sempre buscamos. Naturalmente, algumas pessoas levam vidas relativamente felizes (embora eu ache que há muito mais gente que vive suas vidas sem nenhuma realização, vulneráveis à dor e à desilusão). Mesmo as vidas mais felizes do velho mundo não podem se comparar à profundeza de auto-realização e plenitude que serão possíveis no nível mais elevado de consciência que haverá no novo mundo.

É como se houvéssemos passado a vida inteira na escola, recebendo uma educação que ensina exatamente o oposto da maneira como o universo realmente funciona. Tentamos fazer as coisas funcionarem da maneira como fomos ensinados e podemos até conseguir um certo grau de sucesso, mas para a maioria de nós as coisas jamais parecem funcionar tão bem como esperamos. Aquele relacionamento perfeito jamais se materializa ou, se o faz, logo ele se azeda ou desaparece. Pode parecer também que nunca há dinheiro que chegue, nunca nos sentimos realmente seguros ou suficientemente ricos. Talvez não obtenhamos a valorização, o reconhecimento ou o sucesso que desejamos. Mesmo que realizemos algumas dessas coisas, continuaremos a sofrer com uma vaga sensação de que haverá algo mais, algum significado mais profundo. Alguns de nós talvez entrem em conexão com este significado mais profundo e se sintam cada vez mais realizados e engrandecidos por uma consciência espiritual sempre maior. Entretanto, existem velhos padrões e áreas da vida que são teimosos e às vezes intrigantes, onde a luz parece não haver despontado ainda.

Assim, nossa primeira tarefa na construção do novo mundo é admitir que a nossa "educação para a vida" não nos ensinou necessariamente um modo de viver satisfatório. Temos de voltar ao jardim-de-infância e começar a aprender um modo de vida completamente oposto à maneira como abordávamos as coisas antes. Isso talvez não seja fácil para nós e exigirá tempo, empenho e coragem. Portanto, é muito importante que sejamos compassivos para conosco, e que nos lembremos constantemente da imensidão da tarefa que estamos empreendendo.

Assim como um bebê aprende a caminhar caindo repetidamente, temos de nos lembrar que somos os bebês no novo mundo. Aprenderemos cometendo muitos erros e muitas vezes, talvez, iremos nos sentir ignorantes, assustados ou inseguros. Mas não ficamos zangados com um bebê toda vez que ele cai (se o fizéssemos, é provável que ele jamais aprendesse a caminhar com confiança e energia); por isso devemos tentar evitar críticas a nós mesmos caso não sejamos capazes de, logo em seguida, viver e nos expressar da maneira tão completa como desejaríamos que fosse.

Estamos agora aprendendo a viver em conformidade com as verdadeiras leis do universo. Viver em harmonia com o universo é viver plenamente, cheios de vitalidade, alegria, força, amor e plenitude em todos os níveis. Por isso, embora o desapegar-se do velho mundo às vezes pareça difícil, valerá a pena, custe o que custar, a transição para o novo mundo.

Meditação

Sente-se ou deite-se, relaxe, feche os olhos e inspire profundamente algumas vezes. Ao exalar, imagine que você está soltando tudo o que não quer, tudo aquilo de que não precisa. Sem fazer esforço, deixe que quaisquer frustrações, cansaços ou aborrecimentos se dissolvam. É o momento de soltar um velho modo de vida que já não funciona mais para você. Imagine que suas antigas crenças, os seus velhos padrões de hábitos e todos os obstáculos para a realização do que você deseja estão abandonando o seu corpo a cada respiração. Toda vez que soltar o ar e liberar um pouco das antigas limitações, estará criando mais espaço dentro de você para algo novo.

Depois de fazer isso por alguns minutos, comece a imaginar que toda vez que você inala, está respirando a energia vital, a força vital que há no universo. Dentro desta energia vital está tudo aquilo de que você precisa, tudo aquilo que deseja – amor, poder, saúde, beleza, força e abundância. Respire tudo isso a cada inalação. Imagine um novo modo de vida abrindo-se, enchendo o seu ser de alegria, vitalidade e energia. Faça de conta que a sua vida está exatamente como você queria que ela estivesse. Imagine esta vida nova, aqui, aprenda a saboreá-la. Liberte-se do que é velho e inspire o novo.

Quando a meditação parecer completa, abra suavemente seus olhos e volte à sala. Veja se você consegue reter o sentimento do novo em você. Lembre-se de que agora você está engajado no processo de criar uma vida nova para si mesmo.

2
A força superior que há dentro de nós

A compreensão de que existe no universo uma inteligência superior, uma força ou energia criativa que é a fonte e a substância de toda a existência é o alicerce para a vida do novo mundo. As palavras e conceitos usados para descrever essa força são incontáveis; alguns, usados atualmente em nossa cultura, são:

Deus	O Universo	Fonte
Espírito	Eu Superior	Inteligência Cósmica
Força Superior	Eu Sou	Orientação Interior
Luz	A Força	Consciência Crística

São termos que tentam expressar uma experiência ou um conhecimento, difícil de exprimir em palavras e conceitos racionais. Para cada um de nós que tenha esta experiência interior, as palavras usadas para descrevê-la são apenas os rótulos que melhor se adaptam à nossa compreensão.

Raramente uso a palavra *Deus*, pois ela tem muitas conotações confusas. Em geral, as pessoas a associam à instrução religiosa que receberam no início da vida e já não tem mais significado para elas. Algumas talvez pensem em Deus como *alguém* ou como *alguma coisa* exterior a si: "O velho que está no céu com uma comprida barba branca." Prefiro expressões como "a força superior", "o universo", "o espírito", "o Eu superior", ou "a luz". Neste livro usarei alternadamente essas expressões para referir-me à inteligência e força criativa mais elevada que existe em nós. Se alguma destas expressões não têm significado especial para você, por favor, sinta-se à vontade para substituí-la por qualquer palavra que preferir.

Nos primeiros vinte anos de minha vida eu não tinha uma experiência consciente ou uma crença em qualquer espécie de força superior. Tive de passar por muitos níveis de dúvidas, ceticismo, descrença e temor até chegar na grande confiança que tenho agora na força superior do universo que está dentro de mim, dentro de cada pessoa e de tudo o mais que existe. Não aceitei nada com uma fé cega, de maneira que, em certo sentido, eu tive de "demonstrar" tudo para mim, através das minhas experiências de vida. Já que aprendi a colocar uma confiança absoluta no poder superior do universo e a viver em conformidade com os princípios universais, as mudanças que senti e que vi em minha vida são verdadeiramente miraculosas.

Os que sentiram uma profunda consciência espiritual no decorrer de suas vidas já têm uma base sólida sobre a qual construir. Para os que se sentiram espiritualmente "desligados", como eu, espero que minhas palavras proporcionem apoio e coragem para que descubram essa ligação interior em si mesmos.

O universo tem ao mesmo tempo aspectos pessoais e impessoais: quanto mais confio e me entrego, vejo que meu relacionamento com essa força superior torna-se mais pessoal. Literalmente, sinto uma presença dentro de mim, me orientando, me amando, me ensinando e me estimulando. Neste aspecto pessoal, o universo pode ser um mestre, um guia, um amigo, a mãe, o pai, o amante, o gênio criativo, a fada-madrinha e até Papai Noel. Em outras palavras, qualquer coisa que eu necessite ou deseje poderá ser realizada através dessa ligação interior. Raramente me sinto sozinha. Na verdade, é quando estou fisicamente só que muitas vezes encontro a mais poderosa comunhão com o universo. Em momentos como esses, os lugares anteriormente vazios dentro de mim são preenchidos com a luz. Aqui sempre encontro uma presença orientadora, que me diz o próximo movimento a fazer e que me ajuda a aprender a lição que está em cada passo dado pelo meu caminho.

Meditação

Sente ou deite numa posição confortável. Feche os olhos e respire profundamente algumas vezes. Cada vez que exalar, relaxe sempre mais o seu corpo. Depois, tome mais algumas inspirações profundas e cada vez que exalar relaxe a mente. Deixe que seus pensamentos flutuem, sem apegar-se a nenhum deles. Permita que sua mente saia de foco. Relaxe a sua consciência, indo até um lugar profundo dentro de você mesmo.

Imagine que existe uma presença muito vigorosa dentro de você e à sua volta. Essa presença está toda cheia de amor, de força e sabedoria. Ela alimenta, protege, orienta e cuida de você. Ela também é muito leve, cheia de alegria e brincalhona. À medida que você a for conhecendo e confiando nela, ela tornará a sua vida interessante e divertida.

Você poderá obter uma imagem ou uma sensação física que representa esta presença superior. Mesmo que você não veja ou não sinta nada, considere que ela está ali, de qualquer maneira.

Relaxe e deleite-se com o sentimento ou com o pensamento de que o universo está tomando conta de você totalmente. Afirme isso para si mesmo, silenciosamente ou em voz alta: "Sinto e confio na presença do universo na minha vida."

3
A intuição

Uma vez que tenhamos reconhecido a força superior do universo, surge a pergunta óbvia: "Como podemos entrar em contato com essa força ou ter acesso a ela?" Afinal, se existe uma sabedoria superior ou um conhecimento mais profundo do que sentimos normalmente, ao entrar em contato com ela poderemos receber uma valiosa orientação sobre como viver bem neste mundo confuso. Esta compreensão começou a surgir em mim há poucos anos, quando iniciei minha viagem em direção à luz. A partir desse momento, descobri que podemos ter acesso ao saber que está dentro de cada um de nós através do que normalmente chamamos de intuição. Aprendendo a entrar em contato, a escutar e a agir em sintonia com a intuição, estaremos ligados diretamente com a força superior do universo, permitindo que ela se torne a nossa força orientadora.

É nesse ponto que descobrimos que estamos em total oposição à vida segundo o modo como nos ensinaram a viver no velho mundo. Na civilização ocidental, aprendemos a respeitar e mesmo a venerar o aspecto racional e lógico do nosso ser, e a rejeitar, depreciar ou negar a nossa intuição. Reconhecemos a capacidade que os animais têm de, aparentemente, compreender coisas que estão muito além de sua capacidade racional, e chamamos a isso de instinto. Porém, como isso é um mistério que desafia qualquer explicação *lógica*, damos de ombros e o rejeitamos como algo muitíssimo inferior à esplêndida capacidade humana de raciocinar.

Todo o sistema de valor da nossa cultura está firmemente assentado nessa crença de que o princípio racional é superior e, de fato, constitui a verdade mais elevada. A tradição científica ocidental tornou-se a nossa religião. Desde muito jovens, nos ensinam a tentar ser razoáveis, lógicos e coerentes, a evitar um comportamento emocional e irracional e a suprimir nossos sentimentos. Na melhor das hipóteses, sentimentos e emoções são considerados tolices, fraquezas e aborrecimentos. Na pior das hipóteses, receamos que eles ameacem a própria estrutura da sociedade civilizada.

Nossas instituições religiosas estabelecidas dão apoio a esse medo do eu intuitivo e não-racional. No passado, as religiões fundamentavam-se em uma profunda consciência do princípio universal criativo em todos os seres; agora, porém, elas dão apenas um apoio superficial a essa idéia. Em vez disso, elas procuram controlar o comportamento de seus devotos, usando complicadas estruturas e regras que parecem salvar as pessoas de suas naturezas profundas, irracionais, essencialmente "pecaminosas". Segundo muitas disciplinas psicológicas, a natureza instintiva má e perigosa do homem deve ser controlada. Desse ponto de vista, apenas a nossa parte racional é capaz de domar essa força misteriosa e canalizá-la para costumes saudáveis e construtivos.

Em geral, as sociedades tecnicamente menos desenvolvidas abordam a vida com uma profunda consciência e respeito pelo elemento intuitivo da existência. Cada matiz de suas vidas cotidianas é guiado por um forte sentido de ligação com a força criativa. No entanto, foi justamente a ausência de desenvolvimento técnico que contribuiu para a sua destruição gradual ou para a sua subversão, fazendo com que fossem decaindo na civilização moderna. Dois exemplos pertinentes para a maioria dos norte-americanos são as culturas nativas das Américas e da África. Esses dois grupos foram devastados ao entrar em contato com a cultura "ocidental". Mas nesses últimos anos começou a voltar à tona um respeito profundo e uma valorização dos americanos nativos. A cultura africana, trazida à força para este continente, provavelmente fez mais do que qualquer outra cultura para manter viva a força da intuição em nosso continente, através do vigor do seu espírito.

Na evolução humana, parece que à medida que a nossa capacidade racional foi se desenvolvendo, ficamos cada vez mais receosos quanto ao aspecto intuitivo da nossa natureza. Tentamos controlar essa "força obscura" criando regras autoritárias que definem o certo e o errado, o bem e o mal, ou o comportamento adequado e inadequado, de maneira muito opressiva. Justificamos essa abordagem rígida em relação à vida pondo a culpa em tudo o que se relaciona com a nossa natureza não-racional – desde nossos dramas emocionais pessoais às doenças sociais, como o vício das drogas, o alcoolismo, o crime, a violência e a guerra.

Contudo, uma vez que aceitemos a realidade de uma força superior funcionando no universo e canalizada para nós através da nossa intuição, torna-se claro que nossos problemas pessoais e os males do mundo são na verdade causados pelo fato de *não* seguirmos o nosso saber intuitivo interior. Quanto menos confiamos e mais reprimimos o nosso eu interior, torna-se mais provável que ele acabe explodindo de uma forma distorcida. Em outras palavras, esses problemas não constituem um exemplo de como nossa natureza não-racional emocional se descontrola e enlouquece – ao contrário, os problemas sociais e pessoais são resultado do medo e da repressão da nossa intuição.

Nossa mente racional é como um computador – ela processa os dados que recebe e tira suas conclusões lógicas baseada nessa informação. Acontece que a mente racional é finita; ela só pode computar os dados que recebeu diretamente. Em outras palavras, nossa mente racional só pode funcionar com base na experiência direta que cada um de nós tem tido nesta vida.

A mente intuitiva, por outro lado, tem acesso a um infinito suprimento de informação. Ela parece ser capaz de contatar um abundante tesouro de conhecimentos e sabedoria, que é a mente universal. Ela também pode selecionar essa informação e nos fornecer exatamente aquilo de que precisamos, quando precisamos. Embora as mensagens possam vir pouco a pouco no início, se aprendermos a seguir suas orientações veremos nossas ações tomando o necessário rumo. Quando aprendemos a confiar nessa orientação, a vida assume uma característica de fluência na qual não há necessidade de esforço. Nossa vida, nossos sentimentos e ações se entrelaçam harmoniosamente com os das pessoas à nossa volta.

É como se cada um de nós tocasse um instrumento raro numa imensa orquestra sinfônica, regida por uma inteligência universal. Se tocamos nossa partitura sem nos preocuparmos com a regência do maestro ou com o resto da orquestra, teremos o caos total. Se tentarmos apanhar nossas deixas das pessoas que estão à nossa volta, em vez do regente, será impossível chegar à harmonia – trata-se de muitas pessoas, todas tocando coisas diferentes. Nosso intelecto não é capaz de processar tanta informação e decidir qual a melhor nota a tocar a cada momento. Mas se observarmos o regente e seguirmos sua orientação, podemos sentir o prazer e a alegria de tocar nossa partitura singular, que poderá ser ouvida e apreciada por todos e, ao mesmo tempo, nos sentiremos como parte de um todo maior harmonioso.

Quando aplicamos essa analogia às nossas vidas, vemos que a maioria de nós jamais percebeu que havia um maestro presente. Vivemos o melhor que podemos, usando apenas o nosso intelecto para compreender nossas vidas, para descobrir o melhor caminho a seguir. Se somos honestos com nós mesmos, admitiremos prontamente que não estamos fazendo uma grande música apenas sob a orientação da nossa mente racional. A dissonância e o caos em nossas vidas, e no mundo, com certeza refletem a impossibilidade de viver dessa maneira.

Sintonizando na intuição e permitindo que ela se torne a força orientadora de nossas vidas, permitiremos que o maestro tome o seu lugar de direito como líder da orquestra. Em vez de perdermos nossa liberdade individual, receberemos o apoio que precisamos para efetivamente *expressar* a nossa individualidade. Além do mais, gozaremos a experiência de ser parte de um canal criativo mais amplo.

Eu não entendo bem como a intuição funciona dessa maneira tão espantosa mas, pela experiência direta e pela observação e informações das muitas pessoas com quem já trabalhei, sei que ela realmente funciona. E vejo que, quanto mais eu confio e sigo essa "voz" interior, mais fácil, mais completa e mais interessante se torna a minha vida.

Meditação

Sente-se ou deite-se numa posição confortável num lugar sossegado. Feche os olhos e relaxe. Faça muitas inspirações lentas e profundas, relaxando mais o corpo a cada respiração. Relaxe a sua mente e deixe que seus pensamentos flutuem, mas não se apegue a nenhum deles. Imagine que a sua mente se torna tão calma como um lago tranqüilo.

Agora, concentre a sua consciência num lugar profundo no seu corpo, na região do estômago ou do plexo solar. Deverá ser no lugar de seu corpo de onde sua emoção emerge naturalmente. Trata-se do lugar físico no qual você pode entrar mais facilmente em contato com a sua intuição.

Imagine que você tem um ser muito sábio vivendo ali. Você poderá ter uma imagem da aparência desse ser ou apenas sentir que ele está ali. Esse ser consciente é realmente uma parte sua – é o seu eu intuitivo. Você pode se comunicar com ele conversando em silêncio, fazendo pedidos ou perguntas. Depois relaxe, não pense demais e esteja aberto para receber as respostas, que poderão vir em palavras, impressões ou sentimentos e imagens. Em geral, essas respostas são muito simples, relacionam-se com o presente (e não com o passado ou com o futuro) e "parecem corretas". Se não receber uma resposta imediata, não fique tenso. A resposta virá mais tarde, de dentro de você, na forma de uma impressão ou de uma idéia, ou de fora, através de uma pessoa, de um livro, de um acontecimento ou de qualquer outra coisa.

Por exemplo, você poderá dizer: "Intuição, diga o que preciso saber agora. O que devo fazer nesta situação?"

Confie no sentimento que obtiver e aja segundo ele. Se for realmente a sua intuição, descobrirá que ela leva a um sentimento de grande vivacidade e energia e que mais oportunidades começam a se abrir para você. Se a coisa não parecer muito certa, talvez você não esteja agindo de acordo com a sua intuição, mas a partir de alguma voz do seu próprio ego. Insista e peça um esclarecimento.

É preciso uma certa prática para ouvir e confiar na sua intuição. Quanto mais você o fizer, mais fácil se tornará. Mais tarde, você será capaz de entrar em contato com a sua intuição, fará perguntas a si mesmo e saberá que naquele "ser sábio" lá dentro existe uma incrível fonte de energia e força para lhe dar as respostas e orientá-lo. À medida que você for ficando mais sensível a essa orientação dos sentimentos intuitivos que vêm de dentro, irá adquirindo a sensação de saber o que deve fazer em qualquer circunstância. A força intuitiva está disponível para orientá-lo sempre que você precisar. Ela se abrirá para você logo que desejar confiar em si mesmo e no seu conhecimento interior.

4
Como me tornar um canal criativo

Em qualquer grau que ouvir e seguir a intuição, você se torna um canal criativo para a força superior do universo. Quando você voluntariamente segue a orientação da sua energia criativa, a força superior pode fluir através de você para manifestar seu trabalho criativo. Quando isso acontece, a pessoa passa a fluir com essa energia, fazendo o que realmente quer fazer e sentindo a força do universo passando através dela para criar ou transformar tudo à sua volta.

Ao usar a palavra *canalização, não* estou me referindo ao processo psíquico de canalização de transe. A canalização no transe envolve um médium que entra em estado de transe e permite que um outro ser fale através dele. (Um dos melhores exemplos conhecidos de canalização em transe é o de Jane Roberts, que serviu de canal a um ser chamado Seth.) Canalização para mim significa estar em contato e tornar consciente a sabedoria e criatividade de sua fonte mais profunda. Ser um canal é ser você mesmo completa e livremente, tendo a consciência de que se é um veículo para a mais elevada criatividade do universo.

Todo gênio criativo foi um exemplo vivo dessa experiência. Toda obra-prima foi criada através do processo de canalização. As grandes obras não foram criadas pelo ego. Elas *emergem* a partir de uma profunda inspiração em nível universal e depois são expressadas e trazidas à forma através do ego e da personalidade individual.

Uma pessoa poderá ter uma grande habilidade técnica mas, sem a capacidade de canalizar sua criatividade mais profunda, seu trabalho será desprovido de inspiração. A diferença entre um técnico e alguém que serve de canal foi claramente demonstrada no filme *Amadeus*. Salieri sabia como escrever música, mas não sabia chegar à fonte criadora. Mozart – com sua capacidade surpreendente de contatar e canalizar a força criativa universal – escrevia música que era ao mesmo tempo tecnicamente perfeita e maravilhosamente inspirada, fazendo isso com muita simplicidade, espontaneamente, sem pensar e sem esforço. Desde a infância, a música parecia borbulhar e derramar de dentro dele. Tenho a certeza de que ele não tinha idéia de como isso acontecia e de que não poderia explicar a mais ninguém como fazê-lo.

Essa genialidade sempre pareceu misteriosa e inexplicável, um talento divino possuído apenas por alguns poucos. Ela parece ir e vir, sem explicações; às vezes está ali, às vezes não. Por causa disso, muitas pessoas criativas têm medo de que seu talento desapareça de repente. Elas não sabem como o obtiveram e, assim, não têm idéia de como recuperá-lo se ele desaparecer.

As pessoas criativas em geral funcionam como canais em apenas uma área de suas vidas (como a arte, a ciência ou os negócios) e não têm idéia de como fazê-lo no resto de suas vidas. Por isso, em geral, suas vidas são muito desequilibradas. (Veja a seção sobre "As pessoas altamente intuitivas", no capítulo *Como confiar na intuição*.)

Acredito que todos nós somos gênios – cada um de maneira singular. Descobriremos a natureza da nossa genialidade quando pararmos de nos acomodar ao nosso modelo ou ao das outras pessoas, e aprendermos a ser o que somos, permitindo que o nosso canal natural se abra. Confiando e agindo segundo a nossa intuição, é possível aprender a viver como um canal em cada momento e em cada área da nossa vida.

Quando falo em canal, tenho a imagem de um tubo longo e cilíndrico com energia fluindo por ele – algo como o tubo de um órgão, com a música soando através dele.

Essa imagem do canal tem três aspectos importantes:

1. ele é aberto e sem obstruções internas, de modo que a energia pode passar livremente por ele;

2. tem uma forma física definida, uma estrutura que circunda o espaço aberto, possibilitando que a energia seja dirigida por um caminho particular; sem essa estrutura, a energia flutuaria livremente, sem nenhuma forma;

3. há uma fonte de força – algo que faz a energia passar pelo canal.

Num órgão de tubo, a fonte (que é o órgão) envia energia através da abertura dos tubos. A combinação especial de espaço aberto dentro de cada tubo e a estrutura – tamanho e forma do tubo – fazem com que soe uma determinada nota. A fonte de energia é a mesma para todos os tubos e a força que se movimenta dentro deles é a mesma, mas como cada um tem tamanho e forma diferentes, cada um produz um som único.

Podemos imaginar que somos canais semelhantes a esses tubos. Podemos ter uma fonte de energia comum (o universo) e a mesma energia criativa fluindo por cada um de nós. Nosso corpo e nossa personalidade formam a estrutura que determina a orientação e função singular de cada um de nós como um canal. Compete a nós manter nosso canal aberto e claro, construindo e mantendo uma estrutura física e sua personalidade forte, saudável e bonita como veículos para a nossa energia criativa. Podemos fazer isso mantendo-nos sempre sintonizados, perguntando para onde a energia deseja ir, movimentando-nos com ela.

Uma estrutura física, uma personalidade não são criadas se apenas comemos determinados alimentos, fazemos determinados exercícios ou seguimos as regras ou as boas idéias de alguém. *Ela é criada quando se confia na intuição, aprendendo a seguir a orientação que esta indica.* Quando sua voz interior lhe diz o que comer, como fazer exercícios ou qualquer outra coisa, você poderá ter a certeza de que esse conselho irá reforçar sua capacidade para canalizar, não importa o quanto isso pareça diferente de quaisquer idéias anteriores que você tenha tido sobre o que poderia ser bom para você.

Todos nós até certo ponto já somos canais, de um modo inconsciente e esporádico. A história seguinte, verdadeira, é um bom exemplo disso. Uma amiga estava numa loja especializada em animais de estimação e viu um lindo papagaio à venda por um preço bastante razoável. Ela sempre havia desejado ter um papagaio, mas jamais pudera ter um (pois nos EUA os papagaios são muito caros), especialmente naquele momento, em que ela sequer tinha o dinheiro necessário para pagar o aluguel.

Saiu da loja lamentando a impossibilidade de aproveitar a oferta. Tentou esquecer isso tudo, mas, por mais que fizesse, não conseguia tirar o papagaio da cabeça. Até a idéia de pensar nessa compra lhe parecia ridícula. Contudo, dois dias depois, ela voltou à loja e deixou todo o dinheiro que tinha para o aluguel como sinal para o papagaio, o tempo todo questionando seriamente sobre a própria sanidade mental.

No caminho para a loja, ela se sentia certa de que, se a decisão não estivesse correta, alguém já teria comprado o papagaio. Esse pensamento era tão forte que ela praticamente correu até a loja para dar o dinheiro antes que fosse tarde. No dia seguinte, enquanto dava uma passadinha para visitar a ave, o gerente da loja disse: "Foi bom que você tivesse chegado na mesma hora em que chegou ontem. Uma hora depois entrou uma pessoa para comprar o papagaio."

Mais tarde, nesse mesmo dia, encontrou um cliente que inesperadamente adiantou-lhe a mesma importância que ela deixara em sinal pelo papagaio no dia anterior. Quando voltou para casa, o marido disse que a proprietária do imóvel ligara para avisar-lhe que esperassem uns quinze dias para pagar o aluguel, pois ela estava saindo de férias!

E como se isso não bastasse para confirmar que estava certa ao seguir sua intuição sobre o papagaio, no dia seguinte ela conseguiu um novo emprego, com um adiantamento suficiente não apenas para pagar o aluguel mas também para o resto do pagamento do papagaio. Minha amiga contou-me que depois de toda essa experiência, sentindo-se cheia de uma enorme força e confiança, disse: "Gostaria de me sentir assim o tempo todo, a respeito de tudo o que acontece em minha vida!"

Este é um excelente exemplo de canalização espontânea. Talvez você já tenha tido uma experiência semelhante, quando o fato de seguir sua intuição se tenha mostrado algo de resultados tão positivos. Se isso já lhe aconteceu, o próximo passo é tornar-se mais consciente do processo, de maneira a que você possa reconhecer quando está canalizando ou, ao contrário, quando tem um bloqueio, quando está lutando ou tentando controlar a energia. Quanto mais desejar entregar-se a essa energia interior, mais força fluirá através de você.

Estou aprendendo a seguir esse espírito interior onde quer que ele deseje me levar. Faço constantemente essa verificação, sentindo a energia interior e deixando que ela me oriente. Acho que isso é uma maravilhosa maneira de viver. Quando faço isso, sinto alegria, força, amor, paz e estímulo, exatamente como a minha amiga sentiu quando respondeu à sua intuição, comprando o papagaio. Contudo, seguir essa energia superior envolve uma responsabilidade para com a minha intuição. Devo permitir que o meu sentimento mais profundo me diga o que quero ou o que não quero, agindo de acordo com essa informação. Quando faço isso espontaneamente, a energia flui através de mim, aumentando sempre em intensidade.

Sei que todos já tivemos experiências em determinados momentos em que sentimos a luz e a força fluindo através de nós; é como se quase tivéssemos tido uma visão antecipada da iluminação. Obtemos um lampejo que logo desaparece. Quando esse lampejo se apaga, nós nos sentimos perdidos e inseguros.

À medida que você praticar e aprender a confiar na sua intuição, isso mudará. Sentirá cada vez mais o seu fluxo, até que ele permaneça ali o tempo todo. E assim você estará sempre no lugar certo e na hora certa. Você estará onde a energia é mais abundante para você, fazendo aquilo que deseja fazer e vendo milagres se realizarem. Você canalizará uma energia que poderá transformar os outros. Por exemplo, você poderá entrar numa sala e, de repente, todos os presentes se sentirão mais ligados consigo mesmos. Ou as pessoas que passam por você na rua sentirão uma repentina mudança na própria energia sem mesmo saber por quê.

Pelo fato de você ter assumido o compromisso de confiar em si mesmo, tudo na sua vida muda rapidamente. De início, quando você opta por desapegar-se de seus velhos padrões, parecerá que as coisas na sua vida estão desmoronando. Se decidir aprofundar-se nesse processo, acabará desapegando-se de tudo aquilo a que esteve ligado. Mas esta será uma experiência prazerosa, pois a sua verdadeira felicidade vem da sua ligação com o universo. Todos os aspectos materiais da vida são apenas um brinde, a cobertura do bolo, um jogo divertido que você faz enquanto serve de canal para o universo.

Podemos aprender a viver no mundo da forma – nosso corpo físico, nossa personalidade e o ambiente físico à nossa volta – sem estarmos ligados a ele. Até agora, a maioria das pessoas só se desapegou de sua ligação com a forma ao deixar o corpo no momento da morte. Poucos tentaram transcender esse apego, fugindo às tentações deste mundo, ou seja, entrando para um mosteiro ou envolvendo-se numa prática espiritual que os isola do mundo.

Estou dizendo que podemos ter tudo o que o mundo tem para nos oferecer – todos os relacionamentos, a riqueza, a beleza, o poder e o divertimento que possamos desejar, sem estarmos apegados a nada em momento algum. O universo que existe dentro de nós é rico e poderoso e sabemos disso intuitivamente; sabemos também que temos tudo aquilo de que precisamos, de modo que realmente não há necessidade de estarmos apegados a nada. Contudo, o nosso ego e o nosso corpo sentem que morrerão sem determinadas coisas e, assim, nosso apego é perpetuado. Mas, à medida que aprendemos a viver como um canal, o corpo e o ego vão descobrindo que o viver em plenitude só depende da ligação com o nosso universo interior e não das coisas externas. Aos poucos, o ego vai afrouxando a sua influência e conseguimos verdadeiramente transcender o apego.

Como manter a concentração

Uma importante condição para se tornar um canal é permanecer concentrado no relacionamento com o universo. Essa concentração faz com que o seu canal permaneça aberto para que o fluxo de energia flua através dele. É muito fácil perder a concentração, perder-se nas outras pessoas, em objetivos externos e em desejos. O problema é que fazemos exatamente isso: perdemos nossa ligação com o universo que existe dentro de nós mesmos. Quando nos concentramos no exterior, haverá sempre um lugar vazio, faminto e perdido lá dentro que precisa ser preenchido.

Quando mantenho minha concentração no universo interior, posso ter tudo: dinheiro, sucesso, relacionamentos satisfatórios e também aquela incrível ligação dentro de mim mesma.

Se estou apaixonada por alguém e começo a pensar nessa pessoa como sendo a minha fonte de prazer, acabo me perdendo. Tenho de me lembrar que a fonte de prazer e de amor já está dentro de mim; tenho de me lembrar de que só estou sentindo o amor externamente porque ele existe dentro de mim. Tento manter a concentração no universo interior e, ao mesmo tempo, ver o universo vindo através do meu amado para mim.

Faço o mesmo quando as pessoas me dizem que gostam do que faço nos meus seminários. Agradeço-lhes e depois levo a apreciação delas para o universo que existe em mim. Se eu tentasse controlar tudo, o universo não poderia movimentar-se para elas através de mim.

É uma disciplina constante voltar-me para dentro de mim para me ligar com a minha intuição. Regularmente, durante o dia, procuro me lembrar de fazer isso. Se me vejo perdida nas minhas atividades exteriores, volto-me para dentro de mim mesma, para verificar se estou sendo verdadeira para com os meus sentimentos. Isto faz com que o fluxo do universo continue passando por mim.

Vivendo como um canal

A canalização funciona de duas maneiras: a energia flui de você para os outros, ou dos outros para você. Por exemplo, enquanto escrevo o meu livro, concentro-me na energia que está fluindo do universo através de mim para os outros. Depois, quando as pessoas me dizem que gostaram muito de meu livro porque ele mudou a sua vida, tenho consciência da apreciação que vem delas para mim e volta para o universo.

À medida que você vai se tornando cada vez mais consciente

do fluxo que passa por você, por todas as pessoas e por tudo o que existe no universo, o seu corpo se torna capaz de canalizar mais energia. Quanto mais energia você desejar receber, mais será capaz de dar.

Tornar-se um canal luminoso para o universo representa o mais elevado desafio que existe e oferece a possibilidade do maior prazer e da maior realização para todos os seres humanos. Ser um canal significa viver plena e apaixonadamente no mundo, tendo relacionamentos profundos, brincando, trabalhando, criando, desfrutando do dinheiro e dos bens materiais, sendo você inteiramente, sem perder em momento algum a profunda ligação com a força do universo que há dentro de você.

Você poderá então observar o universo criar através de você – e como ele poderá usá-lo para realizar um trabalho que é dele. Viver como um canal é uma experiência que está ao alcance de qualquer um que esteja desejando assumir interiormente esse compromisso.

Canalização em grupo

Quando aprendemos a confiar e a seguir nossa intuição, estamos aprendendo a abrir e a reforçar o nosso canal individual, que passa assim a canalizar mais força, criatividade e amor através de nós. Quando nos juntamos num relacionamento ou num grupo, cada canal individual torna-se parte de um canal maior. Cria-se, em grupo, um canal, mais poderoso do que qualquer um de nós pode ser individualmente.

Quando muitas mentes e corpos desejam entregar-se, abrir e crescer, essas energias combinadas criam uma estrutura aberta e muito forte, que canaliza muito mais energia do universo. O processo é grandemente intensificado e todos obtêm um poderoso "toque" de energia capaz de levar cada um ao próximo nível de desenvolvimento. Mesmo que estejamos em lugares um tanto diferentes e fazendo coisas diferentes, cada pessoa recebe a inspiração, o apoio, o impulso ou o que for necessário para capacitá-la a dar o passo seguinte em sua caminhada. Um canal assim pode nos abrir para um nível mais profundo de consciência e, com isso, compartilhamos mais de nós mesmos e descobrimos que ficamos curados de coisas que nos impediam de crescer.

Esta é uma razão que me faz gostar de ensinar em seminários e trabalhar com grupos. Meus amigos me chamam de "viciada em energia", porque sou sempre atraída para situações nas quais a energia é mais intensa e expansiva. Gosto da maneira como o meu processo pessoal de desenvolvimento é acelerado pela intensificação que acontece nos grupos.

Já não sigo mais um formato ou estrutura específicos em meus seminários. Prefiro criar um canal de grupo e permitir que o universo assuma o controle e oriente o grupo como um todo. Como coordenadora, meu trabalho é compartilhar o meu processo de aprender a tornar-me um canal e estimular os outros a essa prática.

Quando todos se entregam e se abrem, o canal de grupo está formado. Às vezes, esse processo pode ser confuso e caótico porque o líder "não assumiu o controle" no sentido habitual dessa expressão. Isso poderá despertar meus temores e os de todos os outros. Mas quando me decido a superar os medos, surge algo muito poderoso e bonito através do canal de grupo. O universo nos leva a novos lugares e a novas descobertas que não teríamos oportunidade de experimentar se houvéssemos continuado numa estrutura mais formal. Acho o processo de canalização em grupo muito estimulante e compensador.

Em certo sentido, todos os que vivem neste planeta são parte de um canal de grupo gigantesco – a consciência da humanidade como um todo. O mundo como está agora é uma criação do canal de grupo. À medida que cada um de nós se entrega individualmente à força do universo e permite que esta força nos transforme e ilumine, o canal de grupo também é afetado. A consciência coletiva torna-se cada vez mais iluminada. É assim que vejo como o nosso mundo está sendo transformado.

Meditação

Sente-se ou deite-se numa posição confortável. Feche os olhos. Inspire profundamente e relaxe o seu corpo. Inspire profundamente outra vez e relaxe a mente. Inspire mais uma vez profundamente e solte a respiração. Relaxando, você chegará a um lugar profundo e tranqüilo dentro de si mesmo. Essa é a parte mais profunda de você. Deixe-se ficar em descanso nesse lugar por alguns momentos, sem ter a necessidade de fazer nada ou de pensar em alguma coisa.

Nesse lugar profundo e tranqüilo, peça ao espírito do universo para vir através de você. Afirme a sua vontade de ser um canal para o universo. Sinta a força, a sabedoria e a criatividade dentro de você.

Você é um canal. Veja a sua energia passando de você para os outros. Saiba que no momento em que você acompanha a sua orientação interior, sua criatividade se manifesta no mundo. Crie uma imagem de como isso é para você. Fique aberto para qualquer imagem que lhe venha à mente. Imagine como seria se isso estivesse acontecendo agora mesmo.

Você é um canal aberto para o universo. Está cheio da luz e da força que flui por você, passando para a sua vida e para a dos outros.

Exercício de canalização

Cada um de nós é um canal para o universo. Neste exercício, peço-lhe que sinta e reconheça isso durante um dia inteiro. Com a prática, será fácil fazê-lo sempre.

Ao iniciar o dia, antes de pular da cama, passe alguns minutos vendo-se como um canal para o universo. Sinta a energia no seu corpo e esteja consciente da sua capacidade de canalizar a luz para os outros. Perceba a luz do universo passando de você para os outros em cada encontro que tiver e em cada troca que fizer. Por outro lado, concentre-se no canal que existe em todas as pessoas com quem você estiver e veja que cada intercâmbio que você tem com elas é o universo falando para você. Quando você reconhece a sua verdadeira força e a dos outros, a luz aumentará e você começará a ver essa luz e esse dom natural em todas as situações.

5
O mundo como nosso espelho

O mundo físico é criação nossa: cada um de nós cria a sua própria versão do mundo, a sua realidade particular, a sua experiência de vida singular. Pelo fato de a minha vida estar sendo criada através do meu canal, posso olhar para a minha criação para obter informações sobre mim mesma. Exatamente como um artista examina sua última criação para ver o que está bem e o que não está bem, podemos olhar para a obra em andamento de nossas vidas, para apreciar quem somos e reconhecer aquilo que ainda precisamos aprender.

À medida que seguimos adiante, vamos, concomitantemente, criando as nossas vidas; portanto, nossas experiências e necessidades nos proporcionam a cada instante um reflexo de nós mesmos. Na verdade, o mundo exterior é como um espelho gigante que reflete simultaneamente nossos espíritos e nossas formas com muita clareza e precisão. Uma vez que tenhamos aprendido como olhar para ele e como entender e interpretar seu reflexo, temos um fabuloso instrumento à mão.

O método do espelho

O método do espelho é uma técnica que pode nos ajudar a ver o mundo como um espelho. Encarado dessa maneira, o mundo exterior pode nos dar lições a respeito de aspectos ocultos de nós mesmos, que não conseguimos ver diretamente. O método se baseia em duas premissas:

1. Considero que *tudo* em minha vida é o meu reflexo, a minha criação; não existem acidentes ou acontecimentos que não estejam relacionados comigo. Se vejo ou sinto alguma coisa que de algum modo me afeta, foi o meu ser que atraiu ou criou isso para me mostrar algo. Se isso não estivesse refletindo alguma parte de mim, eu sequer teria sido capaz de percebê-lo. Todas as pessoas em minha vida são reflexos dos diversos personagens e sentimentos que vivem dentro de mim.

2. Jamais deprecio a mim mesmo por causa dos reflexos que vejo. Sei que nada é negativo. Percebo tudo como dádivas que me levam a estar mais consciente; afinal, estou aqui para aprender. Se eu já fosse perfeito, não estaria aqui. Por que eu deveria me enfurecer comigo mesmo quando vejo coisas de que estava inconsciente? Seria como se uma criança do primeiro ano primário se sentisse frustrada por não estar ainda na universidade. Tento manter uma atitude compassiva para comigo mesmo e para com o meu processo de aprendizagem. No momento em que consigo fazer isso, esse processo torna-se divertido e, realmente, muito interessante.

Estou aprendendo a encarar a vida como um filme fascinante, repleto de aventuras. Todos os seus personagens são partes de mim que aparecem na imensa tela e, assim, posso vê-los claramente. Uma vez que posso vê-los e reconhecer os diversos sentimentos e vozes que estão dentro de mim mesma, é fácil escolher quais personagens manter e expandir e quais abandonar ou modificar.

Se o filme retrata problemas, perturbações ou lutas, sei que deverei verificar dentro de mim para descobrir onde não estou sendo sincera comigo mesma. Sei também que quando confio e sou eu mesma o mais completamente possível, tudo em minha vida reflete isso, fluindo com muita facilidade, às vezes até milagrosamente.

Os problemas são mensagens

Se existem problemas em sua vida, é o universo tentando chamar-lhe a atenção. Ele está dizendo: "Epa, está aí algo de que você precisa ter consciência; há algo que precisa ser mudado aqui!" Se você está atento aos pequenos sinais, aprenderá com eles, mas se não prestar atenção, os problemas se intensificarão até que você entenda a mensagem e comece a ficar atento. Se você aceitar que, cada vez que ocorre um problema, o universo está lhe mostrando alguma coisa, fará progressos rápidos na sua viagem de descoberta de si mesmo.

Quando acontece alguma coisa "negativa", somos tentados a dizer: "Por que isso acontece comigo? Estou fazendo o melhor que posso, mas nada parece estar funcionando. Não consigo entender por que continuo com este problema." Se você percebe que está vivendo uma situação assim, tente encontrar uma nova maneira de olhar para as coisas. Vá para dentro de si mesmo e diga ao universo: "Eu sei que você está tentando me mostrar alguma coisa. Ajude-me a compreender o que é."

Depois que fizer isso, deixe de se concentrar no fato, mas mantenha-se aberto para a mensagem que irá receber. Ela poderá vir na forma de um sentimento ou de uma percepção interior, nas palavras de algum amigo ou em algo inesperado que aconteça a você. A mensagem poderá vir imediatamente ou demorar algum tempo. Um dos meus clientes foi despedido de seu emprego de maneira bastante inesperada, há mais de dois anos. De início, ele ficou arrasado, mas depois de um mês de ficar procurando que rumo seguir, ele abriu um negócio próprio. Agora o negócio vai indo muito bem, mas só há poucas semanas é que ele conseguiu, afinal, "pegar" a mensagem que sua demissão refletia. Quando falava para um amigo a respeito de trabalhar para os outros foi que subitamente compreendeu que o incidente da demissão foi uma tentativa de dizer-lhe que estaria muito melhor num negócio próprio do que trabalhando para os outros.

Compreender isto não apenas confirmou o rumo atual de sua vida, mas também resolveu o sentimento negativo de ter sido despedido, que havia permanecido com ele desde esse incidente.

Como interpretar os reflexos

A parte mais complicada de usar o método do espelho é aprender a interpretar o reflexo que se vê. Como descobrir o verdadeiro significado de uma mensagem ali refletida?

Não adiantará nada analisar e pensar nela com a sua mente racional. É muito mais eficaz voltar-se para o seu eu interior, pedindo uma ajuda ao universo. Sente-se muito tranqüilamente, inspire profundamente algumas vezes e concentre a sua atenção no seu interior – no Eu superior que existe dentro de você e que está em contato com a sabedoria do universo. Silenciosamente, ou em voz alta, peça a esse ser uma orientação ou uma ajuda para a compreensão da mensagem. Quando você entrar em contato com um sentimento mais profundo e obtiver uma impressão do que lhe pareça correto naquele momento, procure agir de acordo com essa impressão.

Depois de agir assim, tente estar consciente a respeito das informações exteriores e interiores que venham de suas ações. A informação que vem do exterior lhe diz como as coisas estão fluindo. Tudo parece dar certo e funcionar com facilidade? Se é assim, certamente você está sintonizado com a sua orientação interior. Se estiver lutando para fazer algo que não acontece facilmente, trata-se de uma mensagem para renunciar e voltar a verificar o que você realmente deseja fazer.

A informação interior virá a você como sentimentos. Se se sentir mais forte, mais animado, é porque você está certo. A chave é a sensação de se estar vivo. Quanto mais o universo se movimenta através de você, mais vivo você se sente. Por outro lado, cada vez que você não segue a orientação interior, sentirá uma perda de energia, uma perda de força, uma sensação de desânimo espiritual.

Sendo verdadeiro para consigo mesmo, você se sentirá mais animado, mas também poderá sentir-se insatisfeito. Isto acontece porque você está se arriscando a uma mudança! Quando você se decide a mudar, poderá sentir emoções muito intensas. Permita que essas emoções se expressem; afinal, a sua voz interior está tendo de atravessar anos de inconsciência, de dúvidas e medos acumulados. Por isso, simplesmente deixe que esses sentimentos transbordem por você – eles estão sendo purificados e tratados pela luz.

A informação exterior talvez espelhe também esses sentimentos: suas dúvidas e medos muitas vezes irão refletir-se nas reações dos que estiverem à sua volta. Se os seus amigos ou a sua família questionarem ou criticarem as mudanças, reconheça que eles estão apenas refletindo as vozes cheias de dúvidas ou medos que existem em você, como, por exemplo: "E se eu estiver fazendo a coisa errada? Será que posso realmente confiar neste método?"

Responda a essa informação que vem dos outros da maneira que achar mais adequada: tranqüilize-os, ignore-os, discuta com eles, qualquer coisa. O importante é reconhecer que você está *realmente* lidando com seus medos interiores. Afirme que você está aprendendo a confiar em si mesmo cada vez mais. Você ficará impressionado ao ver como os outros imediatamente espelham a sua confiança em si mesmo, respondendo-lhe com confiança.

Lembre-se:

Se você julgar e criticar a si mesmo, os outros irão julgar e criticar você.

Se você se fere, os outros irão feri-lo.

Se você mentir para si mesmo, os outros mentirão para você.

Se você for irresponsável para consigo mesmo, os outros serão irresponsáveis em relação a você.

Se você se censurar, os outros irão censurá-lo.

Se você for violento emocionalmente consigo mesmo, os outros irão violentá-lo emocionalmente ou até fisicamente.

Se você não ouvir aos seus sentimentos, ninguém irá ouvi-los.

Se você gostar de si mesmo, os outros gostarão de você.

Se você se respeitar, os outros irão respeitá-lo.

Se você confiar em si mesmo, os outros irão confiar em você.

Se você for honesto com os outros, os outros serão honestos com você.

Se você for delicado e tiver compaixão de si mesmo, os outros irão tratá-lo com delicadeza e compaixão.

Se você se compreender, os outros irão compreendê-lo.

Se você honrar a si mesmo, os outros irão honrá-lo.

Se você estiver satisfeito consigo mesmo, os outros ficarão satisfeitos com você.

Mudando os velhos padrões

É muito importante perceber que talvez não seja possível mudar seus antigos padrões da noite para o dia. Às vezes as coisas parecem mudar com rapidez, uma vez que se tenha reconhecido a mensagem; mas às vezes parece que você continua a fazer a mesma coisa de antes e a obter os mesmos resultados desagradáveis, muito tempo depois que passou a achar que já sabe mais. Leva tempo para que o ego mude seus hábitos, de maneira que você terá de rever o mesmo filme ruim algumas vezes.

Se você achar que seu progresso é demasiado lento, peça ajuda ao universo e lembre-se de que logo *haverá* mudanças. A mudança não acontece quando você *se força* a mudar, mas quando se torna consciente daquilo que não está indo bem. Você então pode pedir ao seu Eu superior uma ajuda para conseguir livrar-se dos velhos padrões e trazer o novo. Lembre-se de que a hora mais escura é aquela que vem logo antes do amanhecer – a mudança ocorre exatamente quando você desiste ou quando menos espera.

Como usar o método do espelho

Ao usar o mundo como o seu espelho, você deve lidar com as realidades externas de sua vida de acordo com as necessidades que tenha de mexer com elas. Mas, assim que possível, seja antes, durante ou depois de tratar das coisas externas, verifique dentro de si mesmo para descobrir o que está sendo mostrado a você.

Por exemplo, se alguém está furioso com você, culpando-o ou criticando-o pelo que você faz, talvez você tenha de dizer-lhe: "Pare de me culpar. Não quero ouvir suas opiniões ou suas críticas à minha pessoa. Se puder falar a respeito de seus próprios sentimentos, terei todo o prazer em ouvir; mas, se continuar me atacando, deixarei você falando sozinho." Se a pessoa se mostra mais responsável para com seus sentimentos (dizendo, por exemplo: "Fiquei magoada e furiosa porque você não me telefonou ontem."), é provável que você consiga continuar a conversa num nível mais produtivo. Se ela continuar a reclamar e a concentrar-se nos "problemas" que você tem, é provável que você precise dar apoio a si mesmo, saindo da sala e recusando-se a continuar a conversa até que ela pare de atacá-lo.

Qualquer que tenha sido a sua maneira de agir, você tratou apenas da situação *externa*. Depois, assim que tiver oportunidade, verifique dentro de si mesmo, perguntando se a fúria daquela pessoa não estará se refletindo em você. É possível que você perceba que andou se sentindo muito furioso e crítico em relação a si mesmo nos últimos tempos. Ou então descobrirá que o seu eu interior está perturbado porque você não andou prestando muita atenção a si mesmo. Quando os outros exigem mais de você, em geral isso é um sinal de que você anda exigindo mais de si mesmo.

Uma amiga minha descobriu que o namorado estava andando com outra mulher e mentindo a respeito disso. Ficou muito magoada e furiosa, especialmente por descobrir a desonestidade do rapaz. Expressou seus sentimentos, pedindo a ele que a deixasse sozinha por algum tempo, para examinar as coisas por si mesma.

Quando ficou sozinha, perguntou-se: "Será que estou mentindo para mim de alguma forma; será que de algum modo não estou sendo inteiramente verdadeira e honesta comigo mesma; o que fez com que eu atraísse um homem desonesto?" Deixou de pensar nisso e foi trabalhar. No fim do dia, percebeu que muitas vezes ela havia sentido que esse homem não se fazia completamente presente quando estava com ela, que ele não estava sendo muito verdadeiro. Mas, no passado, ela havia negado e encobrira esses sentimentos porque tinha medo de confrontá-los com o que ela sentia e sabia intuitivamente. Assim, acabara mentindo para si mesma e também dera apoio às mentiras dele.

Ela compreendeu que isso era uma lição sobre como aprender a confiar mais em seus sentimentos e a ter a coragem de expressá-los e apoiá-los. Começou a fazer isso mais com o namorado e, tempos depois, os dois conseguiram manter um relacionamento comunicativo e honesto. Ela poderia ter preferido terminar com tudo. O importante é que com isso ela recebeu um presente: aprendeu a confiar e a expressar seus sentimentos.

Se você é afetado emocionalmente por algo que uma pessoa faz, você, provavelmente, é reflexo dessa pessoa. Poderá parecer que têm pontos de vista opostos, mas é provável que internamente sejam muito semelhantes. Um está expressando um lado do conflito interior, enquanto o outro expressa o outro lado.

Por exemplo, uma pessoa poderá desejar ter um compromisso mais sério num relacionamento, ao passo que a outra quer mais liberdade. Elas se tornam muito polarizadas em relação a isso e chegam a acreditar que querem coisas opostas. Entretanto, se uma delas repentinamente muda de posição (a que desejava um compromisso mais sério subitamente passa a querer mais liberdade), a outra pessoa quase sempre se muda para a polaridade oposta. A razão disso é que ambas estão tentando resolver um conflito interior que as *duas* têm – o desejo de proximidade e segurança e o medo de serem logradas.

Uma vez que as pessoas olhem para dentro de si e se tornem conscientes de seus sentimentos, em geral elas reconhecem que apenas projetaram seu conflito interior para o mundo exterior de maneira a poder reconhecê-lo e a tratar dele. Se uma pessoa deseja verdadeira e inequivocamente um relacionamento mais sério, irá simplesmente atrair uma outra pessoa que quer a mesma coisa. Se alguém se sente perfeitamente lúcido a respeito do seu desejo de ter experiências com muitos parceiros, simplesmente fará isso. Usando o método do espelho, você poderá reconhecer o que realmente sente e, assim, aprender a ser mais honesto consigo mesmo. Uma vez reconhecido o conflito interior, você pode pedir ajuda ao universo para resolvê-lo e integrar os seus sentimentos.

Ver o mundo como o seu espelho também proporciona a você oportunidades maravilhosas para receber informações positivas. Pense em tudo aquilo que você gosta e com o que sente prazer em sua vida neste momento. Você criou essas coisas – elas também são reflexos seus. Pense nas pessoas de quem você gosta, com quem sente prazer em estar, a quem respeita e admira. Elas são reflexos seus. Não poderiam estar na sua vida se não refletissem você – você seria incapaz de reconhecer suas qualidades positivas se não possuísse qualidades semelhantes. Pense nas pessoas e nos animais que gostam de você; eles são um espelho de como você gosta de si mesmo. Se você tem uma casa de que gosta ou um determinado ponto na natureza que é muito bonito para você, isso é um espelho da sua própria beleza. Quando você vê a beleza em algum lugar, isso é um reflexo de você.

Existem espelhos por toda parte. Qualquer pessoa com quem você tenha uma ligação é um espelho para você e, quanto mais profunda a ligação, mais vigoroso é o espelho. Parte da diversão relacionada com o uso do método do espelho é descobrir quem somos através desses reflexos externos. O segredo está em voltar-se sempre para dentro, para descobrir o significado do reflexo para você. Quanto mais você desejar fazer isso sem ficar racionalizando o que vê ou se censurando por isso, mais depressa irá concretizar todo o seu potencial.

Meditação

Relaxe e feche os olhos. Inspire algumas vezes profunda e lentamente e passe para um lugar profundo dentro de si mesmo. Traga à sua mente uma pessoa ou alguma coisa em sua vida e pergunte o que ela está espelhando para você. Fique aberto para receber a resposta, seja ela em palavras, sentimentos ou imagens.

Exercícios

1. Pense numa pessoa a quem você ama ou admira de um modo especial. Faça uma lista de todas as suas qualidades positivas. Pense no quanto essas qualidades espelham você. Em certos casos, podem ser qualidades que ainda não estejam completamente desenvolvidas. Reconheça que essa pessoa está ali para ensinar e inspirar você com o seu exemplo.

2. Faça uma lista de todas as coisas e pessoas de que você gosta em sua vida. Elogie e valorize a si mesmo por criar e atrair esses espelhos.

6
O espírito e a forma

O espírito é a essência da consciência, a energia do universo que cria todas as coisas. Cada um de nós é parte desse espírito – uma entidade divina. Assim, o espírito é o Eu superior, o ser eterno que vive dentro de nós.

A forma é o mundo físico. Como pessoa, minha forma é o meu corpo físico, minha mente e minha personalidade. Ela é também o conceito que tenho de mim mesma – minha estrutura de identidade, o meu ego: "Meu nome é Shakti Gawain. Nasci no dia 30 de setembro de 1948. Tenho um metro e setenta e cinco centímetros de altura e peso 59 quilos. Sou inteligente e tenho em geral uma personalidade extrovertida." Essa é toda a informação sobre a minha forma.

Como seres espirituais, criamos o mundo físico como um lugar para aprender. Ele é a nossa escola, o nosso pátio de recreio, o nosso estúdio de artistas. Acredito que estamos aqui para aperfeiçoar o processo da criação – para aprender como canalizar conscientemente a energia criativa do espírito para a forma física.

Os físicos agora estão descobrindo o que os metafísicos reivindicam há milhares de anos: a matéria física, aparentemente sólida, é, na verdade, feita de energia. Se olharmos através de um microscópio poderoso para qualquer coisa "sólida", veremos uma quantidade infinita de minúsculas partículas em vibração. Se examinarmos de perto uma dessas partículas, descobriremos que ela é feita de partículas ainda menores – e assim por diante. O fato é que tudo o que é físico é feito de "energia" – a que podemos chamar também de "espírito" ou de "universo". Assim, a ciência moderna vem em apoio da antiga metafísica, que diz que a forma é criada a partir do espírito.

Quando nosso espírito resolve se manifestar como forma física, a primeira coisa que ele cria é um corpo físico onde abrigar-se. Escolhemos uma situação de vida e criamos um corpo em conformidade com aquilo que sentimos que melhor nos irá servir e ensinar neste período de vida. Finalmente, nosso objetivo é criar um/a corpo/personalidade que possa expressar plenamente o nosso espírito criativo divino, uma forma que possa fazer tudo o que o nosso espírito deseja fazer com facilidade, habilidade e beleza.

Entretanto, o mundo físico ainda existe num nível relativamente primitivo, se comparado à consciência de nossos espíritos. Recentemente, li num artigo científico que o corpo/mente humano se desenvolveu muito pouco desde os tempos pré-históricos. Assim, temos seres muito desenvolvidos incorporados em formas relativamente simples, não-desenvolvidas. Essas formas têm uma certa consciência de si mesmas, a qual gira em torno de aspectos da sobrevivência elementar – como obter comida, abrigo e alimento emocional; como proteger-se do perigo e como assegurar a reprodução e a sobrevivência dos filhos.

Depois que nascemos no corpo, esquecemos quem realmente somos e por que viemos para cá. Assumimos a consciência da "sobrevivência" do mundo físico e nos perdemos no mundo da forma. Esquecemos o nosso espírito, acreditando que somos apenas a nossa personalidade. Perdemos o contato com a nossa verdadeira força e nos sentimos perdidos e desamparados. A vida se torna uma luta formidável em busca de significado e satisfação.

Podemos passar muitas vidas presos neste ciclo. É certo que a maioria das pessoas passa muitos anos de uma vida olhando para fora de si mesmas, tentando encontrar a realização no mundo da forma. Percebemos depois que isso não está funcionando: não importa o que façamos no mundo, não encontramos a felicidade. Perdemos a vontade de passar mais uma vida, mais um ano ou mesmo mais um minuto numa luta inútil. Em meio à frustração e à desesperança, desistimos.

Em geral, esse é um lugar doloroso e assustador na vida de

uma pessoa – é como chegar ao fundo de si mesmo. É um momento de morte do ego, quando o corpo/mente reconhece a ausência de esperança de viver dessa maneira, e se rende. É melhor morrer do que continuar tentando. Assim, neste momento, em geral a pessoa tem pensamentos e sentimentos de morte ou talvez venha a passar pela morte de um amigo íntimo ou de um membro de sua família (ou de diversos deles). Algumas pessoas criam uma doença grave, um acidente ou uma outra crise mais séria nessa hora; outros pensam em suicídio e chegam a tentar dar um fim à vida.

A hora mais escura *é* realmente a que vem logo antes do amanhecer. Quando, por fim, desistimos da luta para encontrar a realização "lá fora", não temos mais nenhum lugar para ir, a não ser para o nosso interior. É nesse instante de entrega total que a luz começa a aparecer. Esperamos chegar até o fundo, mas em vez disso caímos por um alçapão num novo mundo luminoso. Redescobrimos o mundo do nosso espírito.

É como renascer. Somos bebês nesse mundo novo e não temos idéia de como viver, já que nenhuma de nossas maneiras antigas funciona aqui. Nós nos sentimos inseguros e fora de controle porque o nosso ego já não está mais no comando. Mas a esperança renasceu conosco e a força e a visão começam a voltar. A partir daí, nos tornamos cada vez mais "iluminados".

Ram Dass, autor de livros e psicólogo, tem uma bonita analogia para este processo. Ele o compara a um relógio, onde as 12 horas são o ponto de partida. Das 12 às 3, a vida está totalmente perdida na ilusão da forma. Das 3 às 6, acontece a "desilusão" gradual em relação ao mundo e às 6 horas você toca o fundo. Sente que perde tudo mas, quando vai passando das 6, você está realmente despertando para o espírito. Depois das 6 até as 12, é a iluminação aumentando cada vez mais. Como indivíduos, estamos em diversas fases nesse processo. No momento em que temos suficiente consciência para falar sobre isto, já estamos bem dentro da luz. Tenho a impressão de que cada um de nós tem um ciclo mais abrangente deste gênero que perdura por muitas vidas e que também temos uma série infinita de ciclos menores – às vezes quase diários! Tenho também a impressão de que a consciência de massa neste mundo está acabando de passar pelas 6 horas.

Quando, como indivíduos, começamos a redescobrir nosso espírito, geralmente somos levados a alimentar e a cultivar o nosso processo de autoconhecimento. Isso muitas vezes envolve um ou outro grau de isolamento do mundo e a entrada para dentro de si. Para algumas pessoas, isto assume a forma de passar um certo tempo na natureza; para outras, envolve a prática da meditação, os retiros e assim por diante; para alguns pode consistir apenas em encontrar um tempo para ficar sozinho e tranqüilo. Em geral, é um momento de retirada parcial ou completa dos relacionamentos, do trabalho e/ou de outros tipos de apegos, que tendem a nos levar para fora de nós mesmos. Para algumas pessoas, essa fase pode durar uma vida inteira ou mais; para outros, pode durar apenas algumas semanas ou meses. Cada indivíduo é singular, de modo que todos nós sentimos este movimento interior de maneira diferente. De uma forma ou outra, aprendemos a ir para dentro de nós mesmos e a estar naquele lugar mais tranqüilo dentro de nós por certo tempo. Ali iremos encontrar uma ligação cada vez mais profunda com o nosso espírito.

Enquanto estamos nos sentindo profundamente sintonizados com a nossa essência desta maneira, descobrimos em geral que temos um sentimento de clareza, de visão, de sabedoria, de força e de amor. Isso porque nossos espíritos já estão muito desenvolvidos. Eles já estão mergulhados na verdade, na luz. Por isso, assim que fazemos este contato, obtemos uma "elevação" passageira – a experiência de uma iluminação momentânea.

A questão é que a nossa forma ainda não se desenvolveu. Ela acabou de abandonar o modelo antigo, morreu, renasceu e agora se encontra num estado infantil, sem saber o que fazer. Se a pegamos pela mão e começamos a orientá-la e ensiná-la, ela aprenderá muito depressa a viver de uma nova maneira. Mas ela ainda está de posse de todas as velhas memórias, dos velhos padrões e dos velhos programas do velho mundo, e continua tentando voltar para eles.

Esse é o dilema diante do qual todos nos encontramos atualmente – há uma grande discrepância entre o nosso espírito e a nossa forma. O espírito é muito poderoso e criativo, e tem muitas coisas que desejaria fazer para se expressar no mundo físico, mas ele precisa da forma como um veículo para concretizar seus ideais. A forma tem vontade, mas ainda não é capaz de ir para onde o espírito deseja ir. Ela precisa ser educada e transformada através da força e da sabedoria do espírito.

Como lidar com a discrepância

Ser um espírito muito desenvolvido numa forma relativamente não desenvolvida é bastante incômodo. Isso conta para a maioria dos problemas que estamos tendo. É como se fôssemos deuses ou deusas vivendo em cabanas de pau-a-pique e andando por aí em calhambeques velhos, barulhentos e caindo aos pedaços. Isso pode ser frustrante e aviltante – especialmente quando ninguém reconhece quem somos nós! Quando ainda estávamos esquecidos da nossa realidade, não era tão mau assim; apenas aceitávamos isso como sendo o nosso quinhão na vida. Mas agora que nos lembramos da nossa verdadeira identidade, talvez nos sintamos como se estivéssemos presos num mundo estranho.

Compreender isso poderá explicar uma porção de coisas pelas quais muitos de nós estamos passando. Por que é que temos momentos maravilhosos de consciência e lucidez e depois descobrimos que perdemos completamente a nossa perspectiva e que estamos de novo imersos em medo e dor? Como é que um dia nos sentimos tão amáveis, sábios e receptivos e no dia seguinte, tão enfurecidos, tolos e críticos? Por que é que num seminário temos a impressão de que "pegamos a coisa" e depois parece que a "perdemos" no dia seguinte? Como é que nos sentimos tão pacíficos e desapegados quando estamos meditando, mas muitas vezes nossos relacionamentos parecem estar piores do que nunca? E como é que podemos estar tão confiantes na abundância que há no universo, mas ainda estamos tendo problemas financeiros?

A resposta é simples: estamos lidando com a discrepância entre o espírito e a forma. Isso é algo muito difícil de enfrentar; estamos diante de um verdadeiro desafio. Muitas pessoas chegam a esse ponto e têm muita dificuldade para ir adiante.

Na trilha espiritual tradicional, continuamos mais ou menos isolados do mundo. Desta maneira, podemos ser verdadeiros para com o nosso espírito, evitando lidar com os apegos e os padrões da nossa forma. Infelizmente, a forma nunca tem uma oportunidade para se desenvolver, e acabamos largando o corpo para ir para outras dimensões. O mundo físico, entretanto, não participa da nossa transformação.

Para criar o novo mundo, estamos sendo desafiados a voltar ao mundo da forma com plena consciência espiritual. Precisamos reconhecer a discrepância entre o nosso espírito e a nossa forma, permitindo assim que o espírito transforme o corpo físico, a mente e a personalidade num vigoroso e lindo canal através do qual ele possa expressar-se em toda a sua plenitude.

Integração do espírito e da forma

O primeiro passo no processo de transformação consciente da sua forma, para que ela corresponda ao seu espírito, é ser capaz de *reconhecer* e *sentir* tanto a consciência do seu espírito como a consciência da sua forma (personalidade/mente/ego). É mais ou menos como estar vivendo com duas pessoas dentro de você. Talvez você esteja acostumado a sentir apenas uma delas durante a maior parte do tempo, com lampejos ocasionais da outra. Ou então, talvez você fique indo e vindo com muita freqüência entre essas duas perspectivas. É como se uma delas assumisse o controle do corpo por certo tempo e você visse as coisas desse ponto de vista. Depois, a outra assume e, subitamente, tudo parece muito diferente.

Por exemplo, muitas vezes tenho idéias inspiradas e criativas para um novo projeto que pretendo realizar. Tenho uma idéia bem definida de como ele será maravilhoso e de como irá funcionar. Tudo isso, naturalmente, está vindo do meu espírito. Fico muito animada e mergulho no projeto, fazendo todo tipo de planos e iniciando muitas ações nessa direção. Poucos dias ou semanas depois, sinto-me completamente arrasada, exaurida com o trabalho, frustrada e pronta a atirar tudo pela janela. Meu espírito teve uma verdadeira visão, mas eu estava tentando realizar a coisa mais depressa do que a minha forma era capaz de conseguir. Nesse ponto, tenho de parar e pensar no que é mais verdadeiro para mim: colocar o projeto de lado por algum tempo, ou permitir que ele demore mais ou se desenvolva mais lentamente. Meu espírito tende a correr na frente, de maneira que ele tem de aprender a caminhar num ritmo que minha forma seja capaz de agüentar.

O segundo passo é *gostar* desses dois aspectos de si mesmo, *aceitá*-los. Ambos são partes bonitas e vitais de você. Sem o seu espírito, você não estaria vivo – seria apenas um corpo morto! Sem a sua forma, você não estaria neste mundo – existiria em alguma outra dimensão da consciência.

Às vezes poderá ser frustrante ver que a sua forma ainda não consegue fazer tudo o que o seu espírito deseja. Mas é importante valorizá-la como ela é agora, permitindo que a integração aconteça no seu próprio ritmo.

Por exemplo, há alguns anos eu vivia com um homem; tínhamos um "relacionamento aberto": em outras palavras, tínhamos a liberdade de estar com outros parceiros. Eu tinha um ideal espiritual muito forte de que poderia amar alguém profundamente e permitir que ele ficasse livre para seguir a energia que sentisse com alguma outra pessoa, enquanto eu também tinha liberdade para fazer o mesmo. Algumas vezes, fui capaz de fazer isso e tive alguns momentos lindos em que sentia um amor incondicional, amplo e cheio de felicidade, uma profunda intimidade com o meu companheiro. Cheguei até a sentir amor para com as outras mulheres com quem ele saía! Mas a maior parte do tempo eu ficava arrasada pelo ciúme e pela dor emocional. Finalmente, compreendi que eu não estava pronta para viver o meu ideal naquele momento. Tive o suficiente respeito por meus sentimentos para mudar a situação.

Ainda sinto que algum dia estarei suficientemente segura de mim mesma para ter o necessário equilíbrio entre a profundidade e a liberdade nos relacionamentos se assim o quiser, mas estou caminhando bem devagar nessa direção, no ritmo que posso agüentar emocionalmente (falarei mais a respeito disso no capítulo sobre Os relacionamentos).

A chave essencial para a integração entre espírito e forma é aprender a ouvir a sua intuição e agir segundo ela. Quanto mais você fizer isso, mais a sua mente, a sua personalidade e o seu corpo terão oportunidade de aprender a acreditar e a confiar no espírito. Quanto mais a forma se entrega e se movimenta com o espírito, mais poderoso e iluminado você se tornará.

Aqui há um ponto muito importante: você não pode obrigar a sua forma a confiar a seguir o espírito de modo compulsório. Você precisa deixar que ela se eduque através da observação consciente.

Em outras palavras, você não pode se obrigar a seguir sempre os seus sentimentos intuitivos, mesmo que deseje viver dessa maneira. Às vezes isso parecerá um risco grande demais; embora o seu espírito saiba que tudo dará certo, a sua forma poderá ter medo de fazê-lo. Não se obrigue a ultrapassar limites até sentir que já está pronto para fazê-lo. Observe apenas o processo e seja honesto consigo mesmo a respeito de como sente e do que acontece. Depois, a mudança ocorrerá naturalmente e com espontaneidade.

Por exemplo, imagine que você está com um amigo e há algo que você quer dizer, mas tem medo de fazê-lo com receio de que o amigo se sinta magoado ou furioso e que o rejeite. Se achar que tem coragem, vá em frente e diga o que sente. Depois observe o que acontece e como você se sente em conseqüência disso. Há boas possibilidades de que você se sinta energizado e reforçado pela experiência.

Se, por outro lado, você tem muito medo de dizer a verdade, não tente se forçar a superar esse medo. Mais uma vez, simplesmente observe-se a si mesmo na companhia do seu amigo e não sendo inteiramente você mesmo. Note que sente um desânimo e uma perda de energia; poderá também sentir algum ressentimento para com o seu amigo. *Tente não julgar a si mesmo pela sua inação*. Lembre-se: este é um processo de aprendizado.

O espírito tende sempre para a expansividade, a profundidade, manifestando energia e vitalidade em abundância. A forma (ego/personalidade) sempre tende para aquilo que a faz sentir-se segura e protegida dentro do que já é conhecido, muitas vezes vivendo experiências desanimadoras.

Se você é capaz de observar a si mesmo sem racionalizar, sem criticar, começará a notar que, quando acredita em si mesmo e segue inteiramente a sua energia, sente-se melhor. Ao contrário, quando você vai atrás dos velhos padrões de medo e resistência, sente-se pior. Depois de certo tempo, sua forma capta claramente a mensagem e começa a seguir *espontaneamente* a energia, em vez do antigo padrão, porque ela sente que assim será melhor. Pode ser que você tenha uma forma que automaticamente vai para a luz em qualquer situação, sem ter de pensar a respeito, sem ter de controlar.

Nesse processo de aprender a acreditar em si mesmo, muitos sentimentos antigos e profundos padrões emocionais virão à tona para serem tratados e liberados. Esta é uma parte importante do processo e deve-se deixar que ela aconteça. Poderão ser desencadeadas antigas memórias ou velhas experiências. Poderão surgir sentimentos de tristeza, de medo, de dor, de culpa e de raiva. Permita-se sentir tudo isso, permita que tudo isso o lave por dentro; veja tudo ser liberado, ao mesmo tempo que vai purificando a sua forma. À medida que a luz do espírito vai penetrando cada célula do seu corpo, a escuridão se dissipa.

À medida que você for aprendendo a observar conscientemente o processo de transformação, verá que irá repetir uma série de padrões antigos muito tempo depois que aparentemente já sabe mais. Espiritual e intelectualmente, você já percebe que há um outro caminho; mas emocionalmente você ainda se agarra aos velhos hábitos. Este é um momento difícil, mas tente ser paciente e ter compaixão para consigo mesmo. Quando você reconhece tão claramente a inutilidade de um padrão antigo, ele já está a ponto de mudar! Pouco tempo depois, você começará repentinamente a responder de outra maneira, de um modo mais positivo.

A iluminação da forma ocorre através de um processo milagroso. Quando o ego se rende e passa a confiar no universo, o espírito penetra em cada célula do corpo, transformando a escuridão em luz.

Você verá o seu corpo físico mudar e se tornar mais leve, mais forte, mais claramente definido, mais saudável e mais bonito. Ele passa a ter uma qualidade translúcida – como se você realmente pudesse ver a luz brilhando através dele. Como a sua vida é uma criação sua e o reflexo da sua transformação, todas as formas da sua vida – seu trabalho, o dinheiro, o carro, a casa, os relacionamentos, a comunidade e o mundo – cada vez mais expressarão a força e a beleza do seu espírito.

Meditação

Busque uma posição cômoda, relaxe e feche os olhos. Inspire algumas vezes profundamente e relaxe o corpo e a mente de maneira completa. Permita que a sua atenção consciente passe para um lugar tranqüilo e profundo dentro de você.

Imagine que há uma linda luz dourada irradiando de um lugar profundo, dentro de você. Ela começa a aumentar e a se expandir, até preencher todo o seu corpo. É muito poderosa e, à medida que vai preenchendo você, ela penetra em cada célula do seu corpo, despertando literalmente cada molécula para a luz. Imagine o seu corpo inteiro resplandecendo e irradiando com essa luz. Veja então e sinta o seu corpo sendo transformado – tornando-se mais saudável, mais forte e mais bonito. Imagine que tudo o mais na sua vida também está sendo transformado.

Exercício

Veja se consegue observar a si mesmo sem fazer um julgamento; note quando se tornar capaz de ouvir os seus sentimentos intuitivos e de agir segundo eles, e quando você não consegue fazer isso. Observe como se sente e o que acontece em cada uma destas situações. Peça ao seu espírito para o ajudar a aprender a confiar e a seguir a sua energia cada vez mais.

7
O masculino e o feminino que existem em nós

Todos temos energias masculinas e femininas. Acredito que um dos desafios mais importantes destes tempos consistirá em desenvolver plenamente essas energias, de maneira que elas possam interagir com harmonia.

As filosofias orientais sempre incluíram o conceito de yin (feminino/receptivo) e yang (masculino/ativo), e disseram que tudo no universo compreende essas duas forças. No Ocidente, Carl Jung foi um pioneiro, realizando um trabalho muito interessante com seu conceito de anima e animus. Ele explicou que os homens têm um lado feminino (anima) e as mulheres, um lado masculino (animus); que a maioria das pessoas reprimiu com rigor estes aspectos e que devemos aprender a chegar a bons termos com estes dois lados. Ele e seus seguidores fizeram um trabalho maravilhoso, usando sonhos, mitos e símbolos, para ajudar homens e mulheres a recuperar as partes perdidas e negadas de si mesmos. Muitos outros filósofos, psicólogos, dramaturgos e artistas expressaram as idéias das energias masculina e feminina que existem em nós e em todas as coisas.

Como já mencionei no início deste livro, a pessoa que mais me ajudou a compreender o masculino e o feminino que há em nós foi Shirley Luthman. Suas idéias sobre o assunto eram tão claras, simples e profundas que literalmente começaram a revolucionar a minha vida. Descobri que este conceito me proporcionava uma ferramenta poderosa – eu conseguiria olhar para qualquer coisa em minha vida, ou no mundo, a partir da perspectiva das energias masculina e feminina, entendendo muito melhor o que estava acontecendo! Comecei a adaptar e a reinterpretar as idéias que aprendera da filosofia oriental, de Jung e de Shirley à minha maneira, e a incorporá-las em minha própria metáfora. Descobri que, onde quer que eu vá, quando começo a compartilhar essa metáfora com as pessoas, elas realmente se acendem. Têm a mesma reação que eu tive – faz com que muitas coisas fiquem muito claras.

Algumas pessoas oferecem resistência às palavras "feminino" e "masculino", porque na nossa cultura temos muitas idéias preconcebidas sobre o significado destas palavras; há muita "carga" emocional associada a elas. Se você se sente melhor, substitua as palavras por "yin" e "yang", ou por quaisquer outras que tenham maior apelo para você.

O masculino e o feminino

Acho que o nosso aspecto feminino é o eu intuitivo. Esta é a parte mais profunda e mais sábia que existe em nós. É a energia feminina, para os homens ou as mulheres. É o aspecto *receptivo*, a porta aberta pela qual a inteligência superior do universo pode fluir, a parte receptora do canal. O lado feminino comunica-se conosco através da nossa intuição – os palpites, pressentimentos, imagens ou sensações no corpo que vêm de um lugar profundo dentro de nós. Se não prestamos em nossa vida desperta uma atenção consciente a esse aspecto feminino, essa mulher que existe dentro de nós tenta se comunicar conosco através dos sonhos, emoções e do nosso corpo físico. Ela é a fonte da sabedoria superior que existe em nós e, se aprendemos a ouvi-la cuidadosamente, a cada momento, ela nos orientará com perfeição.

O aspecto masculino é a ação – a nossa capacidade de fazer coisas no mundo físico: pensar, falar, movimentar nossos corpos. Mais uma vez, seja você um homem ou uma mulher, note que sua energia masculina é a sua capacidade de agir. É a parte transmissora do canal. O feminino recebe a energia criativa universal e o masculino a expressa no mundo através da ação; temos assim o processo criativo.

O nosso feminino é inspirado por um impulso criativo e o comunica a nós através de um sentimento, e o nosso masculino age em cima disto falando, movimentando-se ou fazendo o que quer que seja necessário.

Por exemplo, um artista poderia acordar com uma idéia inspirada para uma pintura (uma imagem comunicada pelo seu feminino) e, imediatamente, ir para seu estúdio, apanhar o pincel e começar a pintar (ação empreendida pelo seu masculino).

A mãe pode sentir uma repentina preocupação por seu filho (um aviso do seu feminino interior), correr para a outra sala e tirar a criança de perto de um forno quente (ação empreendida pelo seu masculino).

Um empresário poderá ter o impulso de entrar em contato com determinado sócio (orientação do seu feminino), dar um telefonema (ação empreendida pelo seu masculino) e realizar um novo negócio.

Em todos os casos onde o masculino e o feminino que existem dentro de nós estiveram unidos de modo criativo, houve um resultado criativo – um quadro, a salvação da criança, um negócio. Até mesmo a simples seqüência de ter fome, ir à cozinha e preparar uma refeição ilustra o mesmo processo.

A união das energias masculina e feminina no indivíduo é a base de toda a criação. Intuição feminina mais ação masculina é igual a criatividade.

Para viver uma vida criativa e harmoniosa, você precisa de suas energias feminina e masculina plenamente desenvolvidas e funcionando corretamente juntas. Para integrar plenamente o masculino e o feminino que existem dentro de nós, você deverá colocar o feminino na posição orientadora. Esta é a sua função natural. O feminino é a sua intuição, a porta para a sua inteligência superior.

O seu masculino a ouve e age segundo os sentimentos dela. A verdadeira função da energia masculina é uma clareza e franqueza absolutas, e uma força apaixonada baseada naquilo que lhe diz o universo dentro de você, vindo através do seu feminino.

O feminino diz: "Sinto isto." O masculino diz: "Ouço os seus sentimentos. O que você quer que eu faça?" A mulher interior diz:

"Eu quero isto." O homem interior diz: "Você quer isto? Ótimo, é isso mesmo, vou fazer para você." E vai diretamente obter aquilo para ela, confiando inteiramente que o desejo do seu feminino interior é a sabedoria do universo.

Lembre-se agora de que estou falando de um processo *interior* que ocorre em todos nós. Às vezes as pessoas manifestam essa idéia, pensando que estou dizendo que os homens deveriam deixar que as mulheres digam a eles o que fazer! O que estou dizendo é que *todos* nós precisamos deixar que a nossa intuição nos oriente e depois precisamos estar dispostos a seguir essa orientação diretamente e sem medo.

A natureza do feminino é a sabedoria, o amor e a visão muito clara manifestada através de sentimento e desejo. A natureza masculina é a ação destemida e arriscada a serviço do feminino, muito parecida com a do cavaleiro medieval para com a sua dama.

Através da sua entrega a ela e de sua ação no interesse da dama, nossa energia masculina constrói uma estrutura de personalidade dentro de nós que protege e honra a energia sensível do nosso feminino intuitivo. Imagino muitas vezes o meu masculino como estando por baixo ou atrás do meu feminino – apoiando, protegendo e ficando à sua disposição. Para um homem, essa imagem deve ser invertida – você poderá ver o seu feminino dentro ou atrás de você – orientando, reforçando, alimentando e apoiando. Quando essas duas energias estão em harmonia e trabalhando juntas, há um incrível sentimento: é um canal aberto, forte, criativo, com a força, a sabedoria, a paz e o amor fluindo por ele.

O velho masculino e o velho feminino

Infelizmente, não aprendemos a permitir que nossas energias masculina e feminina funcionem com naturalidade e se relacionem adequadamente.

Na nossa cultura, usamos nossa energia masculina (nossa capacidade de pensar e agir) para reprimir e controlar a nossa intuição feminina, em vez de lhe dar apoio e expressá-la. A este uso tradicional da energia masculina eu chamo de "velho masculino"; ele existe da mesma forma em homens e mulheres, embora geralmente esteja mais evidente e exterior nos homens, sendo mais sutil e interior nas mulheres.

O velho masculino é aquela parte de nós que deseja manter o controle. Ele está aterrorizado com a força do nosso feminino porque não quer se entregar à força do universo. Tem medo de que, se se entregar, perderá sua identidade individual. Uma outra palavra para o velho masculino é *ego*: sua função é apegar-se à individualidade e à diferenciação a qualquer custo. Portanto, nega a força do feminino, que é uma força que leva à união e à unicidade.

No relacionamento com o velho masculino, o feminino está desamparado no mundo. Sua força não pode se movimentar diretamente para o mundo físico sem o apoio da ação do masculino. O poder do feminino interior é reprimido e deve emergir indiretamente, através de padrões manipulativos, ou de sintomas físicos, ou de maneiras repentinas e desfocadas – de explosões emocionais ou mesmo (em casos extremos) de atos de violência.

Você pode ver que os homens e as mulheres representam esses papéis exteriormente. No papel tradicional do macho, os homens são ensinados a negar e a reprimir o seu feminino interior; a serem como as máquinas, sem emoções, totalmente controlados e repressores para com as mulheres (secretamente, devem ter pavor das mulheres, porque elas lhes fazem lembrar de sua mulher interior, a quem eles negam com afinco). Por estarem separados de sua fonte de força interior, eles realmente passam a sentir-se muito sós e perdidos.

No papel feminino tradicional, a mulher também aprende a usar sua energia masculina para negar e reprimir sua força feminina. Isto a deixa desamparada, dependente dos homens, emocionalmente desequilibrada e capaz de expressar sua força apenas de maneira indireta, pela manipulação (ela poderá ter medo de que, se os homens descobrirem o quanto é realmente forte, vão abandoná-la, por isso mantém sua força cuidadosamente escondida).

É importante compreender que tanto o velho masculino como o velho feminino existem em cada um dos sexos. Uma mulher que esteja se expressando da maneira tradicional descrita acima tem um macho controlador, um velho masculino dentro de si, reprimindo-a. Tenderá a atrair homens que espelham esta personalidade masculina refletida no comportamento deles para com ela. Esse comportamento poderá ir desde o paternalismo ou chauvinismo, até o abuso físico ou verbal, dependendo de como a mulher trata a si mesma e do que ela acha que merece. Uma vez começando a confiar e a gostar mais de si e a usar sua energia masculina interior em apoio de si própria, o comportamento dos homens em sua vida irá refletir essa mudança. Eles mudarão drasticamente e continuarão a mudar como ela, ou desaparecerão da sua vida, sendo substituídos por homens que lhe dêem apoio e a valorizem, espelhando a sua nova atitude para consigo mesma. Já vi isto acontecer milhares de vezes.

O homem que é um macho tradicional tem uma voz feminina desamparada e histérica dentro de si, tentando desesperadamente fazer-se ouvir. Ele procurará atrair mulheres cuja auto-estima seja muito baixa, que sejam dependentes e carentes ou expressem sua força de modo indireto, através da manipulação – a menininha "embonecada", a sedução sexual, a "gatinha" ou a desonestidade. Essas mulheres refletem a falta de confiança e de respeito pelo lado feminino interior dele, por não confiarem ou respeitarem a si próprias. Sendo abertos e confiantes na sua natureza feminina, ele descobrirá dentro de si mesmo o alimento, o apoio e a ligação de que sente falta. As mulheres em sua vida irão espelhar essa mudança, tornandose mais fortes, mais independentes, mais diretas e honestas, genuinamente amorosas e sinceras.

O novo masculino e o novo feminino

A força feminina, o poder do espírito, está sempre dentro de nós. É o ego – a nossa energia masculina – que determina como nos relacionamos com essa força. Podemos lutar com ela, bloqueá-la, tentar assumir-lhe o controle e tentar nos manter separados dela, ou, então, nos entregarmos e nos abrirmos a ela, aprendendo a dar-lhe o apoio e a nos movimentarmos com ela.

Individual e coletivamente, estamos mudando de uma posição de medo e controle para a rendição e confiança no intuitivo. A força da energia feminina está em ascensão no nosso mundo. À medida que ela vai emergindo dentro de nós e a aceitamos e nos entregamos a ela, o velho masculino dentro de nós é transformado. Ele retorna, nascendo através do feminino como o novo masculino – aquele que se empenha em confiar e amar o feminino. O novo masculino terá de crescer para tornar-se igual em força ao novo feminino, de maneira que possam ser os amantes – o cavaleiro e sua dama – que devem ser. Só muito recentemente o novo masculino está emergindo em nossa consciência. Antes disso, tínhamos pouca experiência da verdadeira energia masculina em nosso corpo. Nosso conceito único do masculino era o velho masculino – uma energia completamente divorciada em relação ao feminino.

O nascimento do novo masculino está intimamente associado ao nascimento da nova era. O novo mundo está sendo construído dentro de nós e se reflete à nossa volta, à medida que o novo masculino (a forma física) surge, em toda a sua glória, a partir da força feminina (o espírito).

Uma imagem

De vez em quando faço uma visualização em que peço uma imagem do meu masculino e do meu feminino. Cada vez recebo algo um pouco diferente, que me ensina algo de novo. Partilho com vocês uma das imagens mais vigorosas, pois é uma ilustração impressionante de um aspecto do relacionamento entre o masculino e o feminino interiores.

Minha energia feminina apareceu como uma rainha linda, radiante, transbordante de amor e de luz. Ela estava sendo levada pelas ruas numa liteira sustentada por diversos carregadores. O povo enchia as ruas, esperando uma oportunidade para vê-la. Ela era tão bonita, tão livre e tão cheia de amor que, ao passar, acenando, sorrindo e lançando beijos, todos eram curados instantaneamente de qualquer dor ou de qualquer restrição.

Ao seu lado caminhava um guerreiro samurai com sua espada. Esta era a minha energia masculina. Todos compreendiam muito bem que, se alguma pessoa fizesse um movimento de ameaça à rainha, ele num instante levantaria sua espada e impiedosamente abateria o ofensor. Naturalmente, sabendo disso, ninguém ousava feri-la.

Espontaneamente, ele não queria sentir nenhuma hesitação na confiança que ele depositava na sua capacidade de julgar e na sua reação, o que a deixava perfeitamente segura e protegida. Sentindo-se totalmente segura, sem nenhuma necessidade de esconder ou de se defender, ela tinha a liberdade de ser completamente livre, suave e cheia de amor, para dar livremente e com generosidade os seus dons a todos que estivessem à sua volta.

Meditação

Sente-se ou deite-se numa posição confortável e feche os olhos. Inspire algumas vezes profundamente e relaxe completamente o seu corpo e a sua mente. Permita que a sua atenção consciente passe para um lugar tranqüilo dentro de você.

Agora, traga à sua mente uma imagem que represente o seu feminino interior. Essa imagem pode ser a de uma pessoa real, a de um animal ou a de algo mais abstrato – uma cor ou uma forma. Receba espontaneamente qualquer coisa que vier à sua mente.

Dê uma olhada no seu feminino e obtenha uma sensação ou uma impressão do que ele representa para você. Observe alguns detalhes dessa imagem, suas cores e texturas. Observe como você se sente em relação a ela.

Pergunte ao seu feminino o que ele desejaria lhe dizer neste momento. Receba a sua comunicação, que poderá ou não vir em palavras. Você poderá também perguntar-lhe qualquer coisa que deseje saber. Talvez exista algo que você queira saber sobre ele. Mais uma vez, receba a sua comunicação, venha ela em palavras, sentimentos ou imagens.

Uma vez que você se tenha permitido receber a sua comunicação e se sinta completamente livre, inspire profundamente e liberte a imagem da sua mente. Volte a um lugar tranqüilo e sossegado.

Agora traga à sua mente uma imagem que represente o seu masculino interior. Novamente, receba a imagem que vier. Poderá ser a imagem de um homem real ou algum símbolo ou cor abstrata. Examine essa imagem. Comece a observar seus detalhes. Observe suas cores e sua textura. Pergunte-lhe então se ela tem alguma coisa para lhe comunicar naquele momento. Seja receptivo à comunicação, quer ela venha em palavras ou sob outra forma. Se tiver algo a perguntar, faça-o agora. Esteja aberto para quaisquer palavras ou imagens que possa vir a receber. Se não vier uma resposta imediatamente, fique sabendo que ela virá mais tarde.

Uma vez terminada a sua comunicação com o seu masculino, libere a imagem da sua cabeça. Volte novamente à tranqüilidade interior.

Agora, peça às imagens do seu masculino e do seu feminino para virem até você ao mesmo tempo. Veja como elas se relacionam entre si. Estarão tendo algum relacionamento entre si, ou estão separadas? Se tiverem algum relacionamento, como se relacionam? Pergunte-lhes se têm algo que gostariam de comunicar uma à outra ou a você. Fique aberto para o que chegar a você em palavras, imagens ou sentimentos. Se tiver algo a lhes dizer ou perguntar, faça-o nesse momento.

Quando sentir que o exercício está completo, inspire mais uma vez profundamente e libere as imagens da sua mente. Volte a um lugar tranqüilo e sossegado em seu interior.

Exercício

Feche os olhos e entre em contato com a sua voz intuitiva feminina.

Pergunte-lhe o que deseja; existirá algum presente que ela deseje ou algo que ela queira dizer ou fazer? Quando ela tiver dito o que quer, veja o seu novo masculino apoiando esse desejo. Verifique se ele está agindo da maneira necessária para satisfazer a necessidade e o desejo dela.

Quando abrir os olhos, faça o possível para seguir aquilo que sente que a sua voz feminina quer que você faça.

8
Homens e mulheres

Instintivamente, todos nós entendemos as funções básicas das energias feminina e masculina, mas talvez não compreendamos que ambas existem em cada pessoa. O mais comum é a tendência a associar as energias masculina e feminina com seus respectivos tipos físicos.

Assim, as mulheres se tornaram o símbolo da energia feminina. Tradicionalmente, elas desenvolveram e expressaram a receptividade, a nutrição, a intuição, a sensibilidade e a emoção. Até certo ponto, elas reprimiram a auto-afirmação, a ação direta, o intelecto e a capacidade de funcionar com eficiência e força no mundo.

Da mesma forma, os homens se tornaram os símbolos da energia masculina. Tradicionalmente, eles desenvolveram sua capacidade de agir no mundo diretamente, com força, segurança e agressividade. Eles desenvolveram o seu intelecto e em geral reprimiram e negaram sua intuição, seus sentimentos emocionais, sua sensibilidade e a sua necessidade de proteção.

A partir desta perspectiva, cada pessoa é apenas meia pessoa, dependente da outra metade para poder existir. Como não podemos viver no mundo sem a interação completa das energias masculina e feminina, dentro de nós, cada sexo tem andado dependendo um do outro para a sua sobrevivência. Os homens precisaram desesperadamente das mulheres para lhes proporcionarem a alimentação, a sabedoria intuitiva e o apoio emocional, sem os quais, inconscientemente, sabem que morreriam. As mulheres dependeram dos homens para protegê-las e para cuidar delas no mundo físico, onde não sabem como cuidar de si mesmas.

Isso pareceria um arranjo muito prático, que funcionaria perfeitamente – ou seja, os homens ajudam as mulheres e as mulheres ajudam os homens – não fosse um probleminha que existe por baixo disso: como indivíduo, se você não se sente inteiro, se acha que sua sobrevivência depende de uma outra pessoa, você estará sempre com medo de perdê-la. O que aconteceria se essa pessoa morresse ou fosse embora? Neste caso, você também morreria, a menos que conseguisse encontrar uma outra pessoa igual que quisesse cuidar de você. É claro que alguma coisa também pode acontecer a *essa* segunda pessoa. Assim, a vida se torna um estado de medo constante, onde a outra pessoa é apenas um objeto para você – o seu suprimento de amor ou proteção. Você tem de controlar essa fonte a qualquer custo: seja diretamente, pelo uso da força da superioridade, ou indiretamente, usando diversos tipos de manipulação. Em geral, isso acontece com certa sutileza: "Darei aquilo de que você precisa, de modo que você dependerá tanto de mim quanto eu de você, e assim você continuará me dando aquilo de que preciso."

E assim, nossos relacionamentos se baseiam na dependência e na necessidade de controlar a outra pessoa. Inevitavelmente, isto leva ao ressentimento e à irritação, boa parte dos quais reprimimos, porque seria perigoso demais expressá-los e correr o risco de perder o outro. A repressão de todos esses sentimentos leva à estagnação e à indiferença. Esta é uma das razões por que tantos relacionamentos são iniciados de maneira interessante e cheia de surpresas ("Puxa! Acho que encontrei alguém que realmente preenche as minhas necessidades!") e terminam com irritação ou relativamente monótonos e chatos ("Não está satisfazendo às minhas necessidades, nem está perto do que eu esperava, e já perdi a minha identidade nisso tudo, mas tenho medo de largar porque acho que posso morrer sem essa pessoa.").

Como encontrar o equilíbrio

É evidente que, nestes últimos tempos, os papéis bastante diferenciados exercidos pelos homens e pelas mulheres começaram a mudar. Nas duas últimas gerações, um número cada vez maior de mulheres está explorando e expressando suas capacidades de agir no mundo. Ao mesmo tempo, um número crescente de homens começou a olhar para dentro de si, aprendendo a abrir-se para os seus sentimentos e para a sua intuição.

Acredito que isso esteja acontecendo porque chegamos a um beco sem saída com os nossos relacionamentos do nosso "velho mundo" e manifestamos os conceitos de masculino e feminino. Os antigos padrões e as antigas maneiras de fazer as coisas são agora muito limitados para nós, mas ainda não desenvolvemos padrões eficientes para substituí-los. Trata-se de um momento de caos e de confusão, de dor e incerteza, mas, também, de um formidável crescimento. Estamos *mesmo* dando um salto para o novo mundo. Acredito que todas as formas de relacionamento, desde o casamento mais tradicional aos relacionamentos abertos ou aos relacionamentos homossexuais ou bissexuais, representam a tentativa de cada ser humano de encontrar o equilíbrio interior do seu masculino/feminino.

Tradicionalmente, as mulheres sempre estiveram em contato com a sua energia feminina, mas não a apoiaram com a sua energia masculina. Elas não aceitaram nem reconheceram o que sabem interiormente. Agiram sempre como se fossem impotentes, quando na verdade são muito fortes. Saíram atrás de uma valorização exterior (especialmente por parte dos homens), em vez de se valorizarem interiormente pelo que sabem e pelo que são.

Muitas mulheres, como eu mesma, tinham uma energia masculina muito desenvolvida, mas a utilizaram à maneira do "velho masculino". Eu era muito intelectualizada, muito ativa, e me levei com muita dureza a assumir as responsabilidades do mundo. Eu também tinha um feminino muito desenvolvido, mas não o colocava em ação. Na verdade, ignorei-o por muito tempo. Essencialmente, protegia minha sensibilidade e meus sentimentos vulneráveis construindo uma casca exterior muito rígida.

Tive de aprender a assumir essa forte energia masculina e a

acostumá-la a ouvir, confiar e apoiar o meu feminino. Isso permitiu que a minha energia feminina obtivesse segurança e apoio para emergir plenamente. Sinto-me (e pareço) mais suave, mais receptiva e mais vulnerável, embora na verdade eu seja muito mais forte do que antes.

Hoje as mulheres estão aprendendo a se dar um apoio e a valorizar-se, em vez de abandonar as responsabilidades e tentar conseguir que um homem faça tudo por elas. No entanto, este foi um padrão firmemente assentado durante séculos – leva algum tempo para mudar suas camadas mais profundas. O segredo para conseguir isso é continuar ouvindo, confiando e agindo segundo os nossos sentimentos mais profundos.

As qualidades que as mulheres procuravam nos homens – força, poder, responsabilidade, solicitude, emoção, romance – devem ser desenvolvidas dentro delas mesmas. Uma fórmula muito simples é esta: trate a si mesma exatamente como você gostaria de ser tratada por um homem!

O interessante é que aquilo que criamos dentro de nós mesmos sempre se reflete fora de nós. Essa é a lei do universo. Quando você construiu um masculino interior que a ama e lhe dá apoio, sempre haverá na sua vida um homem, ou mesmo muitos homens, que irão refletir isso. Quando você realmente desiste de tentar obter algo fora de si mesma, acaba tendo aquilo que sempre desejou!

É claro que esse princípio é exatamente igual para os homens. Por tradição, os homens estão desligados de sua energia feminina e, portanto, desligados da vida, da força e do amor. Eles têm andado pelo mundo sentindo-se secretamente desamparados, sozinhos e vazios, embora finjam ter tudo sob controle e serem poderosos. (A guerra é um bom exemplo da velha energia masculina sem a sabedoria e a orientação da energia feminina.) Os homens procuram o alimento emocional e a ligação interior através das mulheres mas, uma vez ligados com a sua própria energia feminina interior, receberão dela o incrível amor que vem de dentro de si mesmos.

Para os homens, todas as qualidades desejadas de uma mulher – o carinho, a suavidade, o calor humano, a força, a sexualidade e a beleza – já existem em seu feminino interior. Vocês sentirão isso quando aprenderem a dar ouvidos a seus sentimentos interiores e a dar-lhes apoio. Vocês precisam respeitar e honrar totalmente essa energia feminina interior, agindo segundo os sentimentos que têm para com ela. Só então é que todas as mulheres e todas as pessoas de sua vida espelharão esta integração. Elas terão as qualidades que você sempre desejou e também receberão de você amor, calor humano, carinho e força.

Muitos homens, especialmente nestes últimos tempos, optaram por ligar-se profundamente com a sua energia feminina, e com isso se desligaram do seu masculino. Eles rejeitaram a velha imagem do macho e não possuem nenhum outro conceito de energia masculina para se relacionarem. Esses homens normalmente têm tanto medo de sua energia masculina, receando que ela vá explodir com toda a velha irracionalidade e violência, que identificam com a masculinidade, que acabam também rejeitando as qualidades masculinas positivas.

Acho que é muito importante que esses homens adotem o conceito do novo masculino – o novo homem que permite que a sua energia masculina espontânea, ativa e agressiva flua com liberdade, sabendo que a força do seu lado feminino está atenta, orientando-o com sabedoria. Isto exige uma profunda confiança no fato de que a energia feminina interior sabe o que faz e não permitirá que aconteça nada que possa ser destrutivo ou prejudicial.

Os relacionamentos do novo mundo

Está surgindo uma nova idéia de relacionamentos, baseada na idéia de que cada pessoa é um todo em si. Interiormente, cada pessoa é um ser feminino/masculino plenamente equilibrado, com uma vasta amplitude de expressão, indo desde a mais suave receptividade até a ação mais vigorosa.

Exteriormente, o estilo de expressão da maioria das pessoas com toda a certeza será firmemente determinado pelo gênero de corpo em que elas estão – masculino ou feminino.

Quando se ouvem idéias desse tipo, as pessoas às vezes expressam o temor de que nos tornemos exteriormente andróginos – ou seja, homens e mulheres parecendo quase iguais. O inverso é que é verdadeiro. Quanto mais as mulheres desenvolverem e confiarem em seu aspecto masculino para dar-lhes apoio interior, mais seguras elas se sentirão para permitir que desabroche o seu lado feminino, suave, receptivo e belo. As mulheres que conheço que estão passando por esse processo (eu incluída) parecem tornar-se *mais* femininas e mais bonitas, mesmo quando estão reforçando suas características masculinas. Os homens que estão se entregando e abrindo plenamente para a sua energia feminina estão, na verdade, voltando a ligar-se com a força feminina interior que estimula e reforça suas características masculinas. Longe de se tornarem afeminados, os homens que conheço envolvidos neste processo parecem mais seguros de sua masculinidade.

No novo mundo, quando um homem é atraído para uma mulher, irá reconhecê-la como um espelho do seu aspecto feminino. Através do reflexo dela, ele pode aprender mais sobre o seu lado feminino e passar por quaisquer tipos de medos e barreiras que possam aparecer para chegar a uma integração mais profunda consigo mesmo. Quando uma mulher se apaixona por um homem, ela está vendo o seu lado masculino refletido nele. Em seu convívio com ele, poderá aprender a reforçar e a confiar em seu lado masculino.

Se você, bem lá no fundo, sabe que a pessoa por quem está atraído é um espelho de você mesmo, não poderá ser muito dependente dela, pois tudo aquilo que vê refletido no seu parceiro ou parceira existe também em você! Você consegue reconhecer que a razão do seu relacionamento é a de aprender sobre si mesmo e aprofundar sua ligação com o universo. Por isso, os relacionamentos saudáveis baseiam-se, não na necessidade, mas na paixão e no interesse estimulante de compartilhar a viagem para tornar-se uma pessoa em toda a sua inteireza.

Os relacionamentos homossexuais

Minha experiência pessoal em relacionamentos é heterossexual; portanto, não posso me considerar uma grande especialista em relacionamentos homossexuais. Contudo, a partir de conversas e trabalhos realizados com alguns amigos e clientes homossexuais, tenho uma forte impressão de que, num nível espiritual, os relacionamentos homossexuais e bissexuais são um passo vigoroso que alguns seres empreendem para romper velhos e rígidos papéis e estereótipos na descoberta de sua própria verdade.

Para algumas pessoas, manter um relacionamento íntimo e intenso com uma pessoa ou com pessoas do mesmo sexo é o mais eficiente uso do método do espelho que podem encontrar. Duas mulheres, por exemplo, muitas vezes parecem encontrar uma profundidade de ligação uma com a outra, que não encontram com um homem. Elas usam sua ligação feminina intuitiva para criar uma base sólida e um ambiente seguro para que cada uma delas possa praticar a construção do seu masculino interior. Uma reflete e apóia totalmente a outra para se tornarem inteiras e equilibradas.

Às vezes um homem parece encontrar uma intensidade masculina equivalente com um outro homem – uma capacidade para se exteriorizar, que não encontraria com uma mulher. Poderá também encontrar em outro homem um apoio para entrar e explorar o seu feminino interior sem se sentir obrigado a representar o velho papel masculino estereotipado.

Acho que muitas dessas coisas são mistérios que só iremos compreender em retrospecto. Acredito que todos os serem optam pelo caminho e pelos relacionamentos que irão ajudá-los a crescer o mais depressa possível.

Enquanto evoluímos, acredito que aos poucos vamos deixando de nos classificar, e aos nossos relacionamentos, com etiquetas como "gay", "careta", monógamo, aberto – e assim por diante. Vejo que haverá um momento em que cada pessoa será uma entidade singular, com seu estilo de expressão fluindo livremente. Cada relacionamento será uma ligação singular entre dois seres, assumindo forma e expressão individual. Não será possível insistir na criação de categorias, pois cada pessoa é muito diferente da outra e segue o seu próprio fluxo de energia.

Exercício

Pense em algumas das mulheres mais importantes da sua vida. Quais são as suas características mais fortes ou mais atraentes? Tenha a consciência de que essas características espelham alguns aspectos da sua energia feminina (seja você mulher ou homem).

Agora pense em alguns dos homens mais importantes da sua vida. Quais as características deles de que você mais gosta, que você mais admira ou valoriza? Reconheça que estas refletem aspectos semelhantes da sua energia masculina (mais uma vez: isto se aplica seja você homem ou mulher).

Se você não conseguir enxergar em você algumas das coisas que admira nos outros também, talvez isto aconteça porque você ainda não desenvolveu essas características com a mesma intensidade. Se for assim, experimente a meditação que vem a seguir.

Meditação

Escolha uma posição confortável. Feche os olhos, relaxe, inspire profunda e lentamente algumas vezes e leve a sua atenção para um lugar muito sossegado no seu interior.

Traga à sua mente uma pessoa que você admira ou por quem sente alguma atração. Pergunte a si mesmo quais as características dessa pessoa que você acha mais atraentes. Você vê em si mesmo as mesmas características? Não vê? Então tente imaginar que você possui estas mesmas características. Imagine como você seria, como falaria e como agiria. Imagine-se em diversas situações ou circunstâncias.

Se você acha que essas são características que deseja desenvolver mais em si mesmo, continue a fazer essa mentalização durante algum tempo.

9
Oriente e Ocidente: um novo desafio

Tenho uma impressão muito forte de que na minha última vida fui um asceta espiritual, talvez na Índia, e provavelmente vivendo em meditação no alto de uma montanha em algum lugar. Esse modo de vida tem uma espécie de familiaridade muito confortável para mim; há uma saudade em alguma parte dentro de mim que me dá vontade de viver nessa simplicidade muito feliz e cheia de paz! Mas sei que neste momento optei por passar ao nível seguinte – criar um corpo e um mundo que combinem com o meu espírito e o expressem.

É muito interessante olhar para o mundo a partir da perspectiva do masculino e do feminino; ao fazer isso, acabei descobrindo algumas coisas fascinantes. Em certo sentido, pode-se ver o Oriente como representação do feminino. A maioria das culturas orientais (a Índia, o Tibete, a China, o Japão e muitos outros países) têm uma antiga tradição espiritual muito vigorosa. Até pouco tempo atrás, a força e o desenvolvimento desses países estiveram no campo do intuitivo e do espiritual – pelo menos em relação ao mundo ocidental. Não tinham um desenvolvimento no campo material e, em conseqüência, passaram por muita pobreza, caos e confusão.

A energia que existe no Ocidente (na Europa e nos Estados Unidos) é mais masculina. Ela se concentrou basicamente no desenvolvimento do campo material, ao mesmo tempo que praticamente ignorava o desenvolvimento espiritual. Em conseqüência disso, tivemos um inacreditável progresso tecnológico, mas estamos passando por uma tenebrosa pobreza de espírito, a sensação de um desligamento da nossa fonte.

Estes dois mundos se atraem, exatamente como os homens e as mulheres – com um certo medo e desconfiança, mas, em todo caso, por uma atração avassaladora. Os ensinamentos espirituais do Oriente estão inundando o Ocidente e a tecnologia ocidental está gravitando na direção do Oriente. Um está faminto por aquilo de que o outro é possuidor.

Um dos quadros mentais preferidos que tenho de minhas viagens pela Índia é este: eu estava de pé num bazar, um daqueles mercados. Diante de mim havia duas tendas. Uma tinha lindos artigos artesanais tradicionais para vender. Um grupo de europeus e norte-americanos estava amontoado em volta dela, barganhando com ansiedade aquelas preciosidades. A outra tenda exibia orgulhosamente uma variedade de artigos de plástico: tigelas, utensílios de cozinha e mesmo sapatos de plástico. Uma longa fila de indianos esperava pacientemente a sua vez para adquirir esses valiosos artigos. Naturalmente, nenhum dos grupos sequer lançava uma segunda olhadela para a outra tenda!

O Oriente e o Ocidente podem aprender um com outro mas, assim como a mulher e o homem, deverão finalmente encontrar dentro de si mesmo aquilo que admiram no outro. Felizmente, os países em desenvolvimento do Terceiro Mundo aprenderão com nossos erros e irão desenvolver uma tecnologia mais harmoniosamente sintonizada com o espírito e o ambiente. Devemos também desenvolver um caminho espiritual que nos ajude a lidar com o mundo físico.

As tradições espirituais do Oriente (e, por falar nisso, as nossas antigas tradições espirituais ocidentais) baseiam-se em retirar-se a pessoa o mais possível do mundo, para poder ligar-se mais profundamente com o espírito. O mundo, com suas tentações e distrações, é um lugar muito difícil para manter a concentração e o comprometimento com a verdade interior.

Assim, a maioria dos caminhos espirituais sérios envolviam alguma espécie de renúncia ao mundo – abandonavam-se os relacionamentos, o dinheiro, os bens materiais, os prazeres e o luxo. O ideal era retirar-se para um mosteiro ou para o cimo de uma montanha para se dedicar a uma vida de tranqüila contemplação, renunciando a qualquer apego ao mundo. Mesmo os que optavam por permanecer como chefes de família, com emprego, em geral seguiam regras e restrições rigorosas, destinadas a mantê-los o mais isolados possível do mundo.

Esta orientação espiritual contemplativa foi um passo necessário e importante, mas ela reflete a separação que mantivemos entre o espírito e a forma, entre o feminino e o masculino dentro de nós. Para sermos pessoas que buscam o espiritual, tivemos de deixar o mundo físico. A "iluminação" tem sido a razão para a reivindicação do espírito através da negação do corpo – transcender a forma, abandonando-a. Por isso, alguns se tornaram "iluminados" no sentido que realizaram plenamente sua natureza espiritual, mas não realizaram plenamente a sua forma. Quando abandonavam seus corpos, o mundo em geral continuava sem transformação alguma. Esses mestres apoiaram e preservaram o princípio intuitivo em nosso mundo e pavimentaram o nosso caminho para que possamos dar o próximo passo: a iluminação da forma e a subseqüente transformação de nosso mundo.

Aqueles de nós que optaram pela busca espiritual e pela transformação do mundo agora têm de viver no mundo como se tivessem renunciado a ele, porém, *com o mesmo grau de comprometimento* para com os nossos eus espirituais. Este caminho é muito mais difícil! Agora temos o desafio de uma entrega total do universo, de seguir a sua orientação sem questionamento e de fazer tudo isso tendo, *ao mesmo tempo*, relacionamentos profundos e apaixonados, lidando com o dinheiro, os negócios, as famílias, os projetos criativos e tantas outras coisas "mundanas". Em vez de evitar os nossos apegos ao mundo, chegou o momento de confrontá-los nos níveis celulares mais profundos de nossos corpos. Temos de nos colocar dentro da situação desafiante, aceitá-la e reconhecê-la com todos os sentimentos e apegos, e permitir que eles se dissolvam e se transformem através da força espiritual que temos em nós.

Meditação

Relaxe, feche os olhos, inspire e expire lentamente algumas vezes. A cada respiração, vá cada vez mais profundamente para um lugar tranqüilo dentro de si mesmo. Desse lugar de calma comece a ver uma nova imagem sua no mundo. Sua concentração está no universo e você segue sem questionar a orientação dele. Você confia em si mesmo. Você se sente forte e corajoso. Você tem consigo um saber interior, que está comunicando ao mundo. Devido a essa confiança e a essa concentração que existe em você, o que você criar no exterior será belo. O seu mundo o alimenta e toma conta de você e dos outros. Você está tendo relacionamentos profundos e apaixonados, está lidando com as pessoas, com o dinheiro, com a sua carreira, com o seu corpo e com tudo o mais que estiver à sua volta.

Você é capaz de estar no mundo e de gozar de todas as coisas "mundanas" e, ainda assim, é capaz de manter o compromisso para com o universo que existe em você. Esse compromisso está refletindo na luz e na força impressionantes que estão à sua volta.

SEGUNDA PARTE

VIVENDO OS PRINCÍPIOS

10
Como confiar na intuição

Em geral, fomos ensinados desde a infância a não confiar em nossos sentimentos, a não nos expressarmos com sinceridade e honestidade e a não reconhecer que, na essência do nosso ser, há uma natureza muito criativa, cheia de amor e de força. Aprendemos muito facilmente a ser prestativos para todos os que estão à nossa volta; aprendemos a seguir determinadas regras muito rígidas de comportamento, a reprimir nossos impulsos espontâneos e a fazer o que esperam de nós. E se nos rebelamos contra isso, acabamos sendo apanhados em nossa rebelião, fazendo o oposto do que nos disseram para fazer, numa reação violenta contra a autoridade. É muito raro que recebamos qualquer apoio por confiarmos em nós mesmos, escutando a nossa própria verdade interior e nos expressando de maneira direta e honesta.

Quando reprimimos com firmeza e desconfiamos do nosso conhecimento intuitivo, procurando em vez dele a autoridade, a valorização e a aprovação dos outros, jogamos fora a nossa força pessoal. Isso leva à sensação de desamparo e de vazio, de ser uma vítima; eventualmente poderemos sentir fúria e raiva e, se tais sentimentos também forem reprimidos, cairemos em depressão e inércia. Podemos simplesmente sucumbir a esses sentimentos, levando uma vida de tranqüila estagnação e desespero, e morrer. Ou então compensamos exageradamente esses sentimentos de impotência, tentando controlar e manipular as outras pessoas e o nosso ambiente. Também podemos explodir com uma raiva sem controle muitíssimo exagerada e distorcida por causa da prolongada repressão. Nenhuma dessas é uma alternativa muito positiva.

A verdadeira solução é nos reeducarmos para escutar e confiar nas verdades interiores que nos chegam através dos sentimentos intuitivos. Devemos aprender a agir segundo eles, mesmo que de início nos sintamos em risco ou medrosos, porque já não estamos mais fazendo as coisas seguras, fazendo o que "deveríamos" fazer, agradando aos outros, seguindo regras ou acatando a autoridade exterior. Viver assim é correr o risco de perder tudo o que conquistamos por razões de (falsa) segurança exterior, mas ganharemos a integridade, a totalidade, o verdadeiro poder, a criatividade e a verdadeira segurança de saber que estamos sintonizados com a força do universo.

Não estou tentando subestimar ou eliminar a mente racional ao afirmar que a nossa consciência intuitiva é a força orientadora de nossas vidas. O intelecto é um instrumento muito poderoso, e é muito bem aproveitado quando o usamos para dar apoio e expressão à nossa sabedoria intuitiva, e não para reprimi-la. Em geral programamos o intelecto para duvidar da nossa intuição. Quando aparece um sentimento intuitivo, nossa mente racional diz imediatamente: "Acho que isso não vai funcionar", "ninguém está fazendo isso dessa maneira" ou, "mas que idéia boba!" – e a intuição é menosprezada.

À medida que vamos passando para o novo mundo, chega o momento de reeducar o nosso intelecto, para que ele aceite a intuição como uma fonte válida de informação e orientação. Precisamos treiná-lo para ouvir e expressar a voz da intuição. Por natureza, o intelecto é muito disciplinado, e essa disciplina pode nos ajudar a pedir *e a receber* a orientação do eu intuitivo.

O que significa confiar na nossa intuição? Como se faz isso? Significa sintonizar nos "palpites" ou profundas sensações que temos sobre coisas – aquela impressão mais profunda e interna de uma verdade pessoal – em qualquer situação, e agir segundo esses palpites, a cada momento. Às vezes essas "mensagens sensoriais" podem lhe dizer algo inesperado ou sem coerência em relação aos seus planos anteriores, ou podem exigir que você confie num palpite que pareça ilógico; talvez você se sinta mais vulnerável emocionalmente do que costumava sentir-se; você poderá expressar pensamentos, sentimentos ou opiniões estranhos às suas crenças normais; talvez vá atrás de um sonho ou de uma fantasia, ou então poderá assumir certo grau de risco financeiro para fazer algo que lhe parece muito importante.

De início, você talvez receie que confiar na sua intuição irá levá-lo a fazer coisas que pareçam irresponsáveis ou prejudiciais para os outros. Por exemplo, você poderá hesitar em romper com um namoro, mesmo achando que precisa de algum tempo para se decidir, porque teme ferir os sentimentos da pessoa. Descobri que quando realmente ouço e confio em minha voz interior, todos à minha volta saem tão beneficiados quanto eu, mesmo que só mais tarde seja percebido.

Algumas pessoas ficarão temporariamente decepcionadas, irritadas ou um tanto abaladas à medida que você vai mudando seus velhos padrões de relacionamento consigo mesmo e com os outros. Mas isso acontece apenas porque as pessoas que estiveram perto de você também estão sendo impelidas a mudar. Se confiar, você verá que as mudanças também são para o bem delas. (Se você, guiado pela sua intuição, romper o namoro, o seu amigo ou amiga poderá acabar passando um tempo maravilhoso fazendo qualquer outra coisa.) Se as pessoas não quiserem mudar, talvez se afastem de você, pelo menos por algum tempo; portanto, é preciso que você esteja disposto a se desapegar delas. (Se houver uma ligação profunda, não fica descartada a possibilidade de vocês ficarem novamente juntos no futuro. Enquanto isso, todos precisam crescer à sua maneira e no seu tempo. À medida que você vai seguindo o seu caminho, você atrairá cada vez mais pessoas que gostam de você assim como você é e que desejam relacionar-se de maneira nova.

Exercitando uma nova maneira de viver

Aprender a confiar na nossa intuição é uma forma de arte e, como todas as outras formas de arte, exige prática para o seu aperfeiçoamento. Não se aprende a fazer isso da noite para o dia. Neste processo, você precisa estar livre para cometer "erros", para tentar fazer algo e fracassar, para logo em seguida fazer algo diferente; terá mesmo às vezes de sentir-se embaraçado ou idiota. Sua intuição está sempre cem por cento correta, mas leva algum tempo para você aprender a *ouvi-la* corretamente. Se você deseja arriscar-se a agir de acordo com aquilo que acredita ser a verdade e também a cometer erros, aprenderá muito depressa, prestando atenção no que dá certo e no que não dá certo. Se você recuar pelo medo de estar errado, aprender a confiar na sua intuição poderá levar uma vida inteira.

Em geral, é difícil distinguir a "voz" da intuição das muitas outras "vozes" que nos falam vindas lá de dentro – a voz de nossa consciência, as vozes de nossas crenças e de nossas velhas programações, opiniões, medos e dúvidas dos outros, os bons "palpites" e as "idéias geniais".

Freqüentemente, as pessoas me perguntam como se diferencia a verdadeira voz ou os verdadeiros sentimentos da intuição de todos os outros. Infelizmente, não há nenhuma fórmula simples e garantida. Estamos durante todo o tempo em contato com a nossa intuição, quer o saibamos ou não, mas temos o costume de duvidar e de contradizer isso de modo tão automático, que não chegamos sequer a ficar sabendo quando ela fala. O primeiro passo é prestar mais atenção ao que você sente interiormente, ao diálogo interior que acontece lá dentro.

Por exemplo, você pode sentir vontade de dar um telefonema para seu amigo Jaime. Imediatamente, a voz cheia de dúvidas diz: "Pra que ligar para ele a esta hora do dia? Ele não deve estar em casa," e você automaticamente ignora o seu impulso inicial de ligar. Se houvesse ligado, teria descoberto que ele estava em casa e também que tinha algo importante para lhe dizer.

Outro exemplo: você poderá ter, no meio do dia, a impressão de que está cansado, de que gostaria de dar uma descansadinha. Imediatamente pensa: "Não posso descansar agora; tenho um monte de trabalho a fazer." Então, toma uma xícara de café para continuar no trabalho pelo dia afora. No fim da tarde, sente-se cansado, exausto e irritadiço, ao passo que se houvesse confiado na sua impressão inicial, poderia ter descansado por uma meia hora e continuado com o seu trabalho, revigorado e com eficiência, terminando o dia em equilíbrio.

À medida que você se torna consciente deste sutil diálogo interior entre a sua intuição e as suas outras vozes interiores, é muito importante não se subestimar ou desvalorizar essa experiência. Tente permanecer como um observador um tanto objetivo. Note o que acontece quando você vai atrás dos seus sentimentos intuitivos. Normalmente, o resultado é um aumento de energia e força e uma sensação de que as coisas fluem. Depois, observe o que acontece quando você duvida, reprime ou vai contra os seus sentimentos. Invariavelmente, você observará sensações de diminuição da energia, de impotência ou desamparo e dor física e/ou emocional. De qualquer modo, você estará aprendendo algo; portanto, não tente condenar-se quando não segue a sua intuição (acrescentando assim um mal a outro mal!). Lembre-se de que leva certo tempo para aprender novos hábitos; as velhas maneiras estão profundamente enraizadas. Trabalhei intensamente com a minha reeducação por muitos anos e, embora os resultados de que estou gozando sejam maravilhosos, acontece ainda, muitas vezes, que não tenho a coragem ou a consciência necessária para ser capaz de confiar completamente em mim e fazer exatamente o que sinto. Estou aprendendo a ser paciente e compassiva, enquanto vou ganhando coragem para ser verdadeira comigo mesma.

Um passo importante ao aprender a ouvir e a seguir a intuição é praticar uma "verificação interior" com certa regularidade. Pelo menos duas vezes por dia, ou mais freqüentemente, se possível (uma vez em cada hora seria ótimo), tome um minutinho (ou pouco mais, se puder) para relaxar e ouvir seus sentimentos e sensações mais profundos. Cultive esse hábito de conversar com o seu interior. Peça-lhe ajuda e orientação quando precisar e acostume-se a ouvir as respostas que poderão vir de muitas maneiras: palavras, imagens, sentimentos ou mesmo ser levado a determinadas fontes exteriores, como um livro, um amigo ou um professor que lhe dirão exatamente o que você precisa saber. Seu corpo é um formidável ajudante nesse aprendizado de seguir a voz interior. Sempre que ele estiver com dores ou indisposições, isso em geral é uma indicação de que você ignorou seus sentimentos. Use-o como sinal para sintonizar e pedir aquilo de que necessita ter consciência.

Conforme você vai aprendendo a viver da sua intuição, você desiste de tomar decisões com a sua cabeça. Você age a cada momento a partir de uma conexão com o que sente, permitindo que as coisas se desenvolvam enquanto vai seguindo em frente. Dessa maneira, você é levado na direção correta. As decisões são tomadas de modo fácil e natural; você não precisa tomar grandes decisões que estejam relacionadas com acontecimentos futuros. Concentre-se em seguir a energia do momento presente e descobrirá que isso fará com que tudo esteja na sua mão no momento certo e da maneira mais adequada. Se tiver de tomar uma decisão relacionada com alguma coisa no futuro, siga o seu palpite interior a respeito disso no momento em que a decisão tiver de ser tomada.

Lembre-se também que, embora algumas vezes eu fale em seguir a voz interior, as pessoas em geral não a sentem literalmente como uma "voz". Na maioria dos casos, é apenas um sentimento, uma energia, uma sensação de "eu-quero-fazer-isto" ou "eu-não-quero-fazer-aquilo". Não transforme isso numa coisa muito complicada, num acontecimento místico muito misterioso, numa voz que vem das alturas! É uma simples experiência humana e muito natural, com a qual perdemos o contato e que precisamos recuperar.

O primeiro sinal de que você está seguindo a sua intuição é uma crescente vivacidade e disposição. É como se mais energia de vida estivesse fluindo pelo seu corpo. Às vezes ela parecerá até um tanto avassaladora, como se fosse mais energia do que aquela com que seu corpo pode lidar. Você poderá até mesmo ter uma sensação de cansaço, vindo de um *excesso* de energia que flui por você. A energia que flui é compatível com o que você pode suportar; portanto, estique-se um pouco! É o seu corpo expandindo capacidade de canalizar a energia universal. Apenas relaxe e descanse quando precisar. Logo você irá sentir-se mais equilibrado e começará a gozar de uma força de intensidade cada vez maior.

Inicialmente, você descobrirá que, quanto mais age pela intuição, mais as coisas em sua vida parecem estar desmoronando – você poderá perder o emprego, um relacionamento, alguns amigos, ou até mesmo o seu carro deixa de funcionar! Você está mudando realmente depressa e se desprendendo das coisas antigas que já não lhe servem mais. Enquanto você estava apegado a essas coisas, elas o aprisionavam. Mas agora, continuando por esse caminho e seguindo a energia de cada momento presente da melhor maneira possível, verá que novas formas começam a ser criadas. As coisas entram nos eixos e as portas se abrem de modo aparentemente miraculoso. Você apenas terá de ir em frente fazendo aquilo que tem energia para fazer e não fazendo o que não tem energia para fazer, passando momentos maravilhosos e, literalmente, poderá observar o universo criando novas formas através de você. Você começa a sentir a alegria e o prazer de ser um canal criativo!

Exemplos específicos

Aqui estão alguns exemplos, tirados da minha vida e da vida de amigos e clientes meus, dos tipos de situações com as quais você poderá confrontar-se ao seguir a sua intuição. Note que as palavras entre parênteses são os pensamentos e sentimentos que talvez o tenham paralisado ou impedido de confiar na sua intuição no passado.

– Sair de uma festa ou de uma reunião porque você percebe que realmente não quer estar ali (mesmo que tenha medo do que possam pensar os outros, mesmo que não queira perder alguma coisa boa).

– Dizer a alguém que se sente atraído por ele ou por ela, que gostaria de conhecê-lo/la melhor ou que a/o ama, ou qualquer outra coisa que esteja sentindo, porque acha bom ser franco e falar a verdade (mesmo tendo medo de ser rejeitado, sentindo-se muito vulnerável ou que, de alguma forma, pense que isso é algo que "não se faz").

– Resolver não escrever a sua tese porque você realmente não se sente muito interessado nela; toda vez que pensa no assunto, parece-lhe um trabalho terrível (embora você tenha passado cinco anos trabalhando nela e seus pais fiquem perturbados porque você não obterá o diploma, embora você até gostasse de ser mais prestigiado e que ache que poderia conseguir um emprego melhor com ela).

– Tomar aulas de canto, de música, de dança ou de qualquer outra coisa, porque tem uma fantasia que iria adorar saber cantar, tocar um instrumento ou dançar (mesmo achando que não tem nenhum talento, que está velho demais para aprender agora ou que isso pareceria idiota).

– Não ir ao trabalho certo dia porque tem vontade de ter um dia tranqüilo só para si, para ficar andando pela casa, tomar um pouco de sol, dar uma caminhada ou até ficar deitado na cama (mesmo que você vá sempre trabalhar ou ache que é uma grande irresponsabilidade não ir, ou tenha medo de perder o emprego, ou ache uma tolice ou uma besteira).

– Largar o emprego porque você o detesta e compreendeu que na verdade não tem a menor necessidade de fazer algo de que não gosta (mesmo que não tenha lá muita certeza do que irá fazer depois, e que só tenha dinheiro para se manter durante um tempo muito curto e tenha um medo horrível de não ter a segurança de um rendimento certo).

– Não fazer um favor que alguém lhe pediu porque você não tem vontade de fazê-lo e porque acha que ficaria ressentido se o fizesse (mesmo com medo de estar sendo egoísta ou de perder um amigo ou de entrar em antagonismo com um colega).

– Gastar algum dinheiro numa coisa especial para si mesmo ou para qualquer outra pessoa, impulsivamente, só porque está com vontade e se sente bem fazendo isso (mesmo que normalmente você seja muito econômico e ache que, talvez, seja caro demais).

– Dizer a alguém a sua opinião sobre alguma coisa, só porque está cansado de fingir concordar com os outros (mesmo que normalmente não tivesse a coragem de se expressar dessa maneira).

– Dizer para a família que você não vai fazer o jantar porque não está com a menor vontade (mesmo estando com medo de ser uma esposa ou mãe muito má, e que eles descubram que não precisam mais de você e que toda a sua identidade vá por água abaixo).

– Não tomar uma decisão sobre qualquer coisa porque você ainda não tem a certeza daquilo que está realmente achando sobre o caso (mesmo que o fato de estar numa situação de indecisão o faça sentir-se perturbado e não muito à vontade).

– Começar um negócio próprio, porque lá dentro você acha que pode fazê-lo (mesmo que jamais o tenha feito antes).

Bom. . . a idéia é essa. Confiar na sua intuição significa sintonizar o mais profundamente possível com a energia que você sente, seguindo essa energia a cada momento, confiando que ela o levará aonde você quer chegar, e trazer-lhe tudo o que você deseja. Significa ser você mesmo, ser verdadeiro e autêntico na sua comunicação, ter a vontade de experimentar coisas novas porque parecem boas, fazer aquilo que faz você se sentir bem consigo mesmo e com o mundo à sua volta.

As pessoas altamente intuitivas

Inúmeras pessoas já são muito desenvolvidas intuitivamente – estão em contato com a sua intuição, mas têm medo de agir em sintonia com ela. Essas pessoas muitas vezes seguem seus palpites num determinado setor de suas vidas, mas não em outros. Muitos artistas, músicos, atores e outras pessoas muito criativas se encontram nessa categoria. Elas confiam muito e agem espontaneamente, seguindo a sua intuição, dentro dos limites de suas formas de arte; por isso, são muitíssimo criativas e em geral muito produtivas, mas não têm o mesmo grau de confiança em si e a mesma vontade de dar apoio ao que sentem com uma ação em outros setores, especialmente nos relacionamentos e em questões de negócios ou dinheiro. Assim, temos o caso do artista caótico e emocionalmente desequilibrado e/ou inepto, ou até financeiramente explorado.

Um exemplo clássico deste problema viu-se no filme *Lady Sings the Blues*, baseado na vida da grande cantora Billie Holliday. Numa cena, ela está viajando pelo país numa excursão exaustiva com seu espetáculo. Sente-se exaurida, esgotada, e tem vontade de ir para casa para ver o marido e descansar. Ela resolve cancelar a excursão e seguir o seu coração. Mas os empresários, dizendo que se fizer isso sua carreira estará arruinada, a convencem de que ela *deve* continuar na estrada – e ela continua. Pouco depois de se render aos argumentos deles, começa a depender das drogas. Daí por diante, sua vida toma um rumo decrescente e trágico.

Naturalmente, um incidente como esse não arruína toda uma vida, mas o filme proporciona um exemplo da maneira como diversos artistas, atores ou cantores abandonam a própria autoridade, entregando-a a outras influências à sua volta e sofrem os conseqüentes conflitos, dores e perda de força interior. Para continuar em equilíbrio, essas pessoas terão de aprender a confiar em sua intuição e afirmar-se em *todos* os setores de suas vidas.

Os paranormais também passam por este problema. Eles são muito abertos, receptivos e intuitivos e não bloqueiam essas características, como muitos de nós fazemos. Eles chegam a soltar as rédeas da intuição no trabalho ou em determinadas condições. Mais uma vez o problema é que eles não confiam plenamente e não apóiam a própria intuição em todos os momentos, especialmente no setor dos relacionamentos pessoais. Estão abertos demais para as energias dos outros e em geral não sabem como permanecer ligados com seus sentimentos e necessidades, nem como afirmar-se ou impor limites. Segundo a minha experiência pessoal, essas pessoas muito sensíveis em geral têm problemas com seus corpos – problemas de peso ou doenças crônicas. Esses problemas são sanados quando elas aprendem a equilibrar sua natureza receptiva e intuitiva com uma vontade também equilibrada de agir segundo o que sentem, afirmando-se nos relacionamentos pessoais.

Muitos dos que empreendem buscas espirituais que passaram boa parte do tempo meditando, tornando-se muito sensíveis e em sintonia com sua energia interior, também têm problemas de desequilíbrio. Essas pessoas têm uma rigorosa imagem mental do que é "ser espiritual" – estar cheio de amor, estar aberto e atento. Elas querem expressar esse modelo o tempo todo e, assim, têm medo de agir com espontaneidade ou de expressar sentimentos com honestidade, receando que sua expressão seja dura, grosseira, enfurecida, egoísta ou sem amor.

Nenhum de nós ainda está plenamente iluminado, de modo que, quando corremos o risco de nos expressar com mais liberdade e honestidade, parte do que emerge virá sem polimento, com distorções, parecerá bobagem ou coisa irrefletida. À medida que aprendemos a agir segundo nossos sentimentos interiores, desaparecerão todos os bloqueios que nos impusemos no passado e, nisso, boa parte daquela "coisa" antiga vem à tona e é liberada. Crenças e padrões emocionais antigos são trazidos à luz e tratados. Nesse processo, temos de ter a vontade de enfrentar e revelar nossa inconsciência (no momento em que conseguimos vê-la, ela, de qualquer maneira, já estará mudando). Se fingirmos estar mais "unidos" do que realmente estamos, perderemos a oportunidade de nos curarmos. Acho que essa é uma sensação muito vulnerável e fora de controle. Não posso ficar me preocupando demais com a minha apresentação, ou com aquilo que pareço para os outros, ou se estarei fazendo a coisa certa. Tenho apenas de ser eu mesma, como sou agora, o melhor possível, aceitando a mistura de consciência iluminada e de limitação humana que é o que eu sou neste momento.

Não é preciso ser perfeito para ser um canal para o universo. Basta que você seja verdadeiro – que seja você mesmo. Quanto mais verdadeiro, mais honesto e espontâneo se é, mais livremente a força criativa consegue fluir através de nós. Quando ela flui, limpa todos os remanescentes e os fragmentos de bloqueios antigos. O que vem pode às vezes ser desagradável ou não muito cômodo, mas a sensação da energia fluindo é maravilhosa! Quanto mais você fizer isto, mais claro fica o seu canal, e assim o que você demonstra é uma expressão cada vez mais perfeita do universo.

Lembre-se também de que alguns de nossos modelos espirituais refletem nossas "boas idéias" mais do que revelam um quadro preciso da iluminação. A idéia que muita gente tem de desejar ser doce, positivo e cheio de amor o tempo todo, na verdade é uma expressão da necessidade que o eu tem de estar no controle, de ser bom e correto. O universo tem muitas cores, disposições, velocidades, estilos e direções – além do mais, tudo isso está sempre mudando. Somente quando nos livrarmos da necessidade lógica de estar no controle e correndo o risco de movimentar-nos sem nenhum medo com o fluir do universo é que conseguiremos sentir o grande êxtase de ser um verdadeiro canal.

Exercício

1. Escreva no papel todos os motivos que você consiga pensar para não confiar e seguir sua intuição. Inclua na lista qualquer medo que tenha a respeito do que poderia acontecer caso confie na sua intuição e aja segundo ela o tempo todo.

2. Volte à meditação no final do capítulo 3 (sobre a intuição – veja na p. 35).

3. Pelo menos duas vezes por dia (com maior freqüência, se conseguir lembrar), tome um minuto para relaxar, fechando os olhos e verificando seus sentimentos e sensações básicas para saber se você está fazendo o que sente que deseja fazer.

4. Durante um dia ou uma semana, passe a considerar que o seu sentimento intuitivo sobre as coisas está sempre cem por cento correto, e comporte-se como se fosse assim sempre.

11
Os sentimentos

Um dos problemas mais comuns que encontro no meu trabalho é o fato de que muitas pessoas não estão em contato com seus sentimentos. Considero isto o meu espelho e, assim, trabalhar com os outros para ajudá-los a sentir e expressar seus sentimentos tem me ajudado a estar num contato muito maior com os meus. Quando reprimimos ou trancamos nossos sentimentos, não podemos entrar em contato com o universo que existe em nós, não conseguimos ouvir a voz da intuição e, naturalmente, não podemos sentir prazer por estar vivos.

Parece que muitos não tiveram um bom apoio emocional quando estavam crescendo. Nossos pais não sabiam como dar apoio aos seus próprios sentimentos – muito menos aos nossos. Eles talvez estivessem sobrecarregados demais com suas dificuldades e responsabilidades para poder dar-nos a resposta e o cuidado emocional de que necessitávamos.

Sejam quais forem as causas, se sentimos que não há ninguém para nos escutar e cuidar de nossos sentimentos, ou se obtivermos uma resposta negativa quando nos expressamos, logo aprenderemos a reprimir nossas emoções. Quando guardamos nossos sentimentos, aprisionamos o fluxo de energia vital que passa pelo nosso corpo. A energia desses sentimentos não expressados e não sentidos fica bloqueada no nosso corpo, produzindo um mal-estar físico e emocional e, às vezes, doenças. Ficamos paralisados e um tanto entorpecidos.

Todos os dias encontro, em meus seminários e nas consultas particulares de aconselhamento, pessoas que passaram a vida inteira acumulando e reprimindo seus sentimentos. Muitos têm medo de sentir as chamadas emoções "negativas" – tristeza, mágoa, ira, medo, desespero. Receiam que o fato de que, caso se abram para provar esses sentimentos, as emoções serão avassaladoras. Ficam apavorados com o pensamento de que, se passarem por elas, ficarão presos ali para sempre.

O oposto é que é o verdadeiro. Quando você deseja experimentar plenamente um determinado sentimento, a energia bloqueada é liberada muito depressa e o sentimento é dissolvido. Quando atendo alguém com alguma emoção bloqueada, primeiramente apóio a pessoa para que entre em contato com esse sentimento, deixando-se invadir por ele. Uma vez sentido e expressado essa emoção, em geral ela desaparece em poucos minutos. É interessante observar pessoas que reprimiram um sentimento doloroso durante trinta, quarenta ou cinqüenta anos libertarem-se dele em poucos instantes e sentir uma grande paz em seu lugar.

Uma vez que você sentiu as emoções bloqueadas do passado, um fluxo maior de energia e vitalidade virá enriquecer a sua vida. É importante aprender a estar em contato com seus sentimentos quando eles surgem: assim eles podem continuar a movimentar-se e o seu canal permanecerá claro.

Na natureza, as emoções são cíclicas e, como a água, estão sempre mudando. No decorrer de uma hora, de um dia ou de uma semana, podemos passar por uma gama variadíssima de sentimentos. Se entendermos isso, poderemos aprender a gozar todos os nossos sentimentos e a permitir simplesmente que eles continuem mudando. Mas quando temos medo de determinados sentimentos, como a tristeza ou a fúria, colocamos nossos freios emocionais assim que começamos a senti-los. Não desejamos entregar-nos a essa emoção, de maneira que ficamos presos no meio do caminho e nunca o atravessamos por inteiro.

Muitas vezes as pessoas que freqüentam meus seminários querem aprender como "pensar positivamente" para não ficarem presas em seus sentimentos negativos, e se surpreendem quando eu as instigo a sentir esses sentimentos negativos *mais* – e não *menos*! Só mesmo gostando e aceitando todas as partes de nós mesmos é que podemos ser livres e nos sentir realizados.

Temos a tendência de achar que certos sentimentos são "dolorosos" e desejamos evitá-los. Entretanto, eu descobri que a dor na verdade é *a resistência a uma sensação*. A dor é um mecanismo do nosso corpo físico que nos ajuda a evitar os ferimentos físicos. Se você toca num forno quente, sentirá dor – trata-se de uma resistência à sensação de calor que você experimenta. Ela faz com que você tire a sua mão dali, evitando prejuízos para o seu corpo.

Dessa maneira, no nível físico, a dor é um mecanismo útil que nos protege do perigo. Contudo, se uma sensação não é realmente perigosa, você pode tentar relaxar, e a dor irá diminuir e desaparecer. Por exemplo, quando você estica um músculo mais do que o normal, a princípio ele ficará dolorido, mas no momento em que você continua com suavidade e firmeza na posição estendida, a dor acabará. Na hora do parto, se a mulher resiste à dor intensa que está sentindo, ela sofrerá muito. Quanto mais ela for capaz de relaxar, menos dolorido será o parto.

Não existe isso de sentimentos "negativos" ou "positivos" – nós é que os tornamos negativos ou positivos, ao aceitá-los ou ao rejeitá-los. Para mim, todos os sentimentos são parte da maravilhosa sensação sempre nova de estar vivo. Se gostarmos de todos os tipos de sentimentos, eles se transformam nas muitas cores do arco-íris da vida.

Aqui estão algumas das emoções que as pessoas mais parecem temer, com alguma explicação de como lidar com elas:

Medo: é muito importante reconhecer e aceitar os seus medos. Se você admite que está com medo e não tenta se obrigar a superá-lo, começará a se sentir mais seguro e o medo diminuirá.

Tristeza: a tristeza está relacionada com a abertura do coração. Se você se permite sentir a tristeza, especialmente se consegue chorar, descobrirá que o seu coração se abre mais e que pode sentir mais amor.

Pesar: esta é uma forma intensa da tristeza, relacionada com a morte ou com o fim de alguma coisa. É muito importante permitir-se sofrer o pesar plenamente e não cortar este processo no início. O pesar às vezes dura muito tempo ou volta periodicamente. É preciso aceitá-lo e proporcionar a si mesmo todo o apoio necessário para passar pelo pesar, sempre que ele aparecer.

Mágoa: a mágoa é uma expressão de vulnerabilidade. Tendemos a mascará-la com defesas e censuras, de maneira que não tenhamos de admitir o quanto nos sentimos realmente vulneráveis. É importante expressar os sentimentos e a mágoa diretamente e, se possível, de maneira que não inclua censuras ou reclamações (em outras palavras: "Eu me senti realmente magoado porque você não me chamou para ir com você," em vez de: "Você não dá a menor bola para os meus sentimentos. Como pode ser tão insensível. . .?" – e assim por diante).

Desespero: o desespero está relacionado com a entrega. Quando você o sente, o seu ego está se entregando, você está reconhecendo que nenhum dos seus modelos antigos está funcionando. Se se permitir uma verdadeira entrega, sentindo completamente o desespero, logo depois virá a paz e surgirá um novo nível de entrega ao universo.

Raiva: quando reprimimos a nossa energia interior e permitimos que outras pessoas usem indevidamente sua força ou poder sobre nós, ficamos irados, enfurecidos. Em geral, reprimimos essa raiva e ficamos entorpecidos ou paralisados. Quando voltamos a entrar em contato com a nossa força, a primeira coisa que sentimos é a raiva acumulada. Para muita gente que está cada vez mais consciente, é um sinal muito positivo começar a entrar em contato com a própria raiva. Isso significa que essas pessoas estão recuperando sua energia.

Se você não se permitiu enfurecer muitas vezes na sua vida, começará a provocar situações ou pessoas que irão desencadear a sua raiva. Não se concentre muito no problema exterior; permita-se apenas sentir a fúria e reconheça que essa é a sua força. Visualize um vulcão explodindo dentro de você, enchendo-o de força e energia.

Em geral as pessoas têm muito medo da própria fúria – elas receiam fazer algo prejudicial com ela. Se você tem esse medo, permita-se senti-lo plenamente e crie uma situação segura na qual possa expressá-lo – a sós, com um conselheiro ou um amigo em quem confie. Permita-se ter um chilique, um ataque de nervos, atirar longe as almofadas ou bater nos travesseiros – qualquer coisa que lhe dê vontade. Fazendo isso num ambiente seguro (talvez você precise fazer isso de vez em quando), você já não terá medo de destruir o que quer que seja e será capaz de lidar melhor com esse tipo de situação.

Se você é uma pessoa que já sentiu e expressou bastante a sua raiva, deve procurar identificar a mágoa que está por baixo disso e expressá-la. Você usa a fúria como um mecanismo de defesa para não correr o risco de se tornar vulnerável.

Um ponto crucial para transformar a sua ira numa aceitação da sua própria força é aprender a afirmar-se. Aprender a pedir o que você quer e a fazer o que deseja, sem ser indevidamente influenciado por outras pessoas. Quando você pára de entregar a sua força aos outros, já não se sentirá mais enfurecido ou irado.

A aceitação dos nossos sentimentos está diretamente relacionada com o fato de nos tornarmos um canal criativo. Se você não permitir que seus sentimentos fluam, seu canal estará bloqueado. Se você reprimiu muitas de suas emoções, por certo ouvirá gritos e vozes lamurientas dentro de si, que não permitirão que você ouça a voz mais sutil da sua intuição.

Às vezes, pessoas precisam de ajuda para sentir e liberar antigos bloqueios emocionais e aprender a viver de uma maneira mais cheia de sentimentos. Se você acha que precisa de alguma ajuda para isso, descubra um bom psicólogo ou terapeuta, ou talvez um grupo que pratique as técnicas de aconselhamento (onde os participantes se aconselham entre si). Ao procurar um terapeuta, peça referências a pessoas conhecidas e não hesite em fazer entrevistas com diversos, até descobrir um de quem goste. Tente encontrar um que esteja em contato com os seus sentimentos e que se relacione com você de maneira real e direta.

Procurando ou não uma ajuda profissional, crie o hábito de se indagar muitas vezes durante o dia para saber como está se sentindo. Tente aprender a distinguir entre o que você está *pensando* ou *achando* e como você está se *sentindo* (muita gente tem dificuldade em saber disso). Tanto quanto possível, aceite e goze os seus sentimentos e você descobrirá que eles abrem as portas para uma vida muito rica, plena e apaixonada.

Exercício

Quando você acordar pela manhã, feche os olhos e coloque a sua atenção no meio de seu corpo – no seu coração, no plexo solar e no abdômen. Pergunte-se a si mesmo como está se sentindo nesse exato momento. Tente distinguir os sentimentos dos pensamentos que passam pela sua cabeça. Você está se sentindo em paz, animado, ansioso, triste, cheio de prazer, frustrado, culpado, cheio de amor, de solidão, sério ou brincalhão?

Se parece haver um sentimento de infelicidade ou de perturbação dentro de você, vá até este sentimento e dê-lhe uma ordem. Peça que ele converse com você e lhe diga o que está acontecendo. Tente realmente escutá-lo e ouvir os seus pontos de vista. Seja simpático, amável e dê um apoio aos seus sentimentos. Pergunte se existe algo que você possa fazer para cuidar mais de si mesmo.

Repita este exercício antes de dormir, à noite e a qualquer hora durante o dia que parecer adequado.

12
O tirano e o rebelde

O tirano e o rebelde são duas partes da personalidade que identifiquei em muitas pessoas com quem trabalho. O tirano é a voz interior que nos diz o que devemos e o que não devemos fazer. Ele é cheio de regras e de expectativas muito rígidas. É uma voz controladora e exigente. O rebelde é a parte de nós que se recusa a fazer qualquer coisa que se manda que faça. Reage com rebeldia total a qualquer influência controladora e não confia em ninguém. Quando o tirano diz: "Faça isso", o rebelde diz: "De maneira alguma!"

O rebelde se desenvolveu na infância remota em resposta às pressões e exigências de autoridades exteriores (pais, professores, a igreja e por aí afora). Inicialmente, o rebelde tentava proteger nossos sentimentos, recusando-se a acreditar em qualquer coisa que a nossa intuição soubesse que não era verdadeira. Por exemplo, se você não concordava com os planos que seus pais tinham para você, o rebelde se recusava a cooperar (em rebelião aberta ou em resistência passiva). O rebelde estava preocupado em dar apoio às suas vontades. Ele mantinha viva a sua personalidade.

Para alguns, o rebelde é quem domina. Crianças que tiveram pais e autoridades muito exigentes e controladores, e eram obrigadas a sucumbir à vontade dos outros, ou se perdiam ou eram forçadas a defender sempre as suas vontades e necessidades, acabavam sendo rotuladas como cheias de rebeldia e não-cooperativas. Por exemplo, uma criança que tinha um dos pais muito dominador, que, desejando controlar todas as suas ações (o tirano exterior), foi obrigada a desenvolver um rebelde forte para garantir a sobrevivência da sua individualidade. Ou então uma criança que cresceu com um chefe de família alcoólatra teve de construir um rebelde interior para se proteger das incoerências que havia no seu ambiente. Como ali não havia ninguém em quem ela pudesse confiar, ela aprendeu a não confiar em ninguém.

Um rebelde exageradamente desenvolvido torna-se um problema quando a pessoa começa a se rebelar contra tudo e contra todos. O rebelde aprende a desconfiar de qualquer coisa remotamente controladora, incluindo-se nisso suas exigências interiores (o tirano interior). Por exemplo: no emprego, um chefe faz um pedido razoável e você se irrita e se nega a fazer o que ele pede; você diz a si mesmo para não comer nenhum pedaço do bolo de chocolate e mesmo assim come três fatias; ou, ainda, a decisão de fazer exercícios físicos todas as manhãs e acaba dormindo.

O nosso tirano interior se desenvolve dando ouvidos às vozes exigentes dos que estão à nossa volta. Se estamos rodeados por pais, professores e outras autoridades que têm idéias muito estabelecidas a respeito de como deveríamos e de como não deveríamos fazer as coisas, aprendemos a nos tratar de maneira igual. Começamos a internalizar essas vozes, fazendo exigências em cima de nós mesmos. Descobrimos que o tirano interior pode trazer resultados muito eficientes, levando-nos em direção à realização exterior. Por exemplo, uma criança com pais exigentes pode obter notas 10. Ela aprende a internalizar as expectativas de seus pais, o que resulta em altas realizações no mundo.

As pessoas desenvolvem o tirano interior não apenas para obter aprovação exterior, mas para se protegerem dos tiranos exteriores. Se você acha que é preguiçoso e, assim, se empenha em se manter sempre ativo, evita escutar isso dos outros. Em certo sentido, você está eliminando a crítica de fora mediante o seu tirano interior.

O tirano quer ser ouvido e exige cooperação. Se você tentar ignorá-lo ou rejeitar a sua voz, ele ficará frustrado. A partir de então, cria-se uma batalha interior entre o tirano e o rebelde. Uma parte diz que você precisa arranjar um emprego, a outra diz que não;

uma parte diz que é melhor você fazer algo da sua vida, enquanto a outra fica mais apática ainda. Nem o tirano nem o rebelde conseguem mais ouvir ou proteger você. Eles assumiram suas personalidades e trabalham um em reação ao outro. Quando isso acontece, as pessoas se sentem paralisadas. A energia não pode se movimentar numa situação na qual duas partes de você estão em luta e você não está usando a sua intuição como guia.

A coisa mais importante a fazer para que a energia entre novamente em ação é examinar o que você está fazendo. Reconheça que está paralisado e então observe o seu conflito interior. Se você lançar uma luz brilhante sobre o tirano e o rebelde, para que você possa examiná-los como realmente são, diminuirá a força dos dois. Você perceberá que nenhum deles é a expressão da sua voz intuitiva. Trata-se de antigas vozes reacionárias que continuam governando a sua vida. Quanto mais cedo você percebe isso, mais depressa conseguirá se livrar do que eles lhe dizem. Quando você conseguir fazer isso, o próximo passo é ir até o seu íntimo para ver o que o seu feminino interior pretende e agir de acordo com isso. Isso desbloqueará a energia. A verdadeira fonte da atuação e da força da energia depende sempre da sua voz interior, da qual recebe orientação e de acordo com a qual age.

Uma cliente minha sentia-se frustrada com a sua carreira e via que estava provocando a própria demissão. Ela trabalhava num escritório, fazendo o trabalho administrativo para um homem de vendas. Embora fosse uma excelente organizadora, ela começou a esquecer de fazer certas coisas. O chefe vinha e lembrava do que não havia sido feito e ela ficava verde de raiva. Percebeu então que estava se enfurecendo sempre que o chefe lhe dizia para fazer alguma coisa, por mais razoável que fosse. Ela sabia que não estava em condições de perder aquele emprego, mas não queria mais continuar ali. Sentia-se encurralada. Quando conversamos, ela começou a identificar o seu lado rebelde. Viu que ele estava em luta com o tirano, que dizia que ela deveria continuar no emprego, e viu também que lutava contra o chefe, que estava numa posição "de controle". Voltou até sua infância e examinou o início do desenvolvimento do seu rebelde interior. Verificou que tivera problemas com chefes e professores em outros empregos e na escola. Compreendeu que estava sendo acionada por modelos antigos.

Quando percebeu isso, ela imediatamente quis mudar seu modo de agir. Eu lhe disse que ela não poderia atacar dessa maneira as suas emoções. Se ela tentasse acalmar o rebelde, estaria ativando o tirano e o rebelde continuaria a lutar. Era preciso que ela se decidisse a observar as próprias reações, para aceitar a idéia de que esse era o modelo que estava aplicando. Uma vez tendo compreendido o que eu lhe sugeri, pedi que fechasse os olhos e fosse até o lugar mais profundo de si mesma. Ela teria de perguntar para a sua intuição o que realmente queria.

Foi assim que ela descobriu que queria trabalhar em vendas, experimentar. Com isso, estava ficando cada vez mais furiosa consigo mesma por ficar sentada atrás de uma escrivaninha, quando sabia que havia algo mais a fazer.

Depois de compreender perfeitamente o que desejava, ela pôde subir os diversos degraus que precisava para atingir o seu objetivo. Resolveu ficar no emprego provisoriamente e convencer o chefe a apoiá-la no seu intento. Resolveu fazer diversas entrevistas em companhias de vendas para ter uma idéia de onde poderia trabalhar. Tendo visto claramente o que realmente queria e discutido a ação que poderia empreender para se ajudar, passou a sentir-se muito melhor.

Uma semana depois, ela veio me visitar e disse que, embora o tirano e o rebelde continuassem a lutar, pareciam ter menos força. Ela se firmou na sua resolução de trabalhar em vendas e o chefe mostrou a maior boa vontade para ajudá-la com quaisquer indicações de que dispusesse.

Na verdade, você não é nem o tirano, nem o rebelde. Aprendendo a confiar e a seguir a sua intuição, eles desaparecem e você passa a ser quem realmente é.

Exercício

Identifique algumas de suas regras e comportamentos que lhe parecem exigentes e controladores (tirânicos). Use as categorias abaixo, e também as suas. Alguns exemplos estão entre parênteses.

Trabalho – (Tenho de trabalhar de quarenta a sessenta horas por semana, tenho de trabalhar duro para conseguir alguma coisa. Não consigo ganhar dinheiro fazendo o que desejo.)

Dinheiro – (Jamais vou ter dinheiro suficiente; tenho de economizar caso alguma coisa aconteça; não posso fazer bobagens com o dinheiro.)

Relacionamentos – (Tenho de encontrar alguém para estar ao meu lado, tenho de agradar a esse alguém, tenho de ser monógamo; é melhor eu ficar satisfeito com quem eu arranjar.)

Sexo – (Tenho de atingir o orgasmo toda vez que tiver uma relação sexual; tenho de estar apaixonado por alguém com quem eu tenha relações sexuais; tenho de ser o maior amante, o mais sensual.)

Em seguida, anote qualquer pensamento rebelde que possa ter. Por exemplo: "Quem é que precisa trabalhar. . .? Vou largar o meu emprego"; ou "Quem é que dá bola para o dinheiro. . .? Eu não preciso dele"; ou então: "Farei o que bem entender quando me derem as costas."

Depois que tiver anotado os diálogos do tirano e do rebelde, entre num lugar muito profundo dentro de si mesmo e pergunte o que você mais deseja, descubra o que é verdadeiro para você. Anote qualquer pensamento ou sentimento que possam lhe ocorrer.

13
A vítima e o salvador

O sentimento da vítima é a crença de que estamos desamparados; de que o mundo, as pessoas e a economia fazem coisas para nós e que não temos outra escolha senão aceitar o que vem à nossa mão. É o sentimento de que podemos ser violentados sem a nossa aprovação.

Como vítimas, as pessoas recrutam salvadores para resgatá-las. Os salvadores não sabem cuidar de si mesmos e por isso se empenham em ajudar os outros, tentando inconscientemente preencher suas próprias necessidades de modo indireto. Eles precisam de vítimas para tomar conta. Um salvador acredita que os outros são fracos ou impotentes e que precisam da sua ajuda.

Acho que muitas pessoas lidam com os dois lados deste processo. A maioria das vítimas perde tempo e energia tentando salvar os outros, em vez de aprender a tomar conta de si mesmos. Apesar disso, você não pode ser um salvador, a menos que tenha uma vítima no seu interior e acredite nisso. Entretanto, poderá parecer que algumas pessoas são exclusivamente vítimas – ou salvadores. No lado extremo, existem pessoas que estão sempre confusas e que precisam desesperadamente da ajuda de outros, ou existem mártires, cujo significado na vida depende da salvação dos outros. Em geral, oscilamos entre esses papéis em modalidades menos extremas.

Como transformar a consciência do salvador

Todos podemos ver a dor que existe no mundo. Ela está por toda parte, em todos nós, nas pessoas à nossa volta, nos jornais e na televisão. A transformação dessa dor começa quando não a negamos. Vendo-a, sentindo-a, compreendemos que a dor não está separada de nós. Nós não poderíamos estar vendo a fome, o assassinato e a doença, a menos que houvesse uma parte de nós que acreditasse e desse apoio a isso. (Veja o capítulo *Como transformar o nosso mundo*, na p. 202.)

Para transformar o salvador, precisamos assumir a responsabilidade pela nossa dor e entrar em contato com a força do universo que está dentro de nós para ajudar a nossa própria cura. Quando você vê alguém em dor ou sentindo-se desamparado, fique sabendo que a dor e o desamparo estão em você também. Você não seria atraído para ajudar alguém, a menos que se identificasse e sentisse um desamparo semelhante. Seja você uma vítima ou um salvador, a energia está paralisada.

A energia permanece paralisada enquanto as pessoas estiverem se concentrando nas outras como sendo o problema ou a solução. Para pôr em ação a energia e recrutar a ajuda do universo, salvadores e vítimas devem ir até o seu interior para pedir orientação.

Os salvadores não percebem o quanto precisam de ajuda. Eles estão tão ocupados ajudando os outros que não vêem a sua própria dor. Quando começam a perceber os seus sentimentos, encobrem-nos, encontrando alguma outra pessoa de quem tomar conta. A salvação, em geral, é um modelo profundamente assentado, que vem da infância. No meu caso, sei que comecei a tomar conta de outros muito cedo na vida. Meus pais se divorciaram quando eu era um bebê, e muito cedo senti a necessidade de me comportar como um adulto amadurecido. Assumi essa responsabilidade, mas, com isso, descuidei dos meus sentimentos.

Fui uma salvadora extremada. Eu queria salvar o mundo. Estava sempre tentando ajudar as pessoas. Organizava seminários porque desejava que as pessoas ouvissem o grande conhecimento que eu tinha para lhes oferecer. Eu achava muito importante que as pessoas precisassem disso e precisassem de mim. Nos relacionamentos pessoais, fiz a mesma coisa. Eu atraía muitos amantes e amigos que aparentemente precisavam da minha ajuda.

Quando fiquei mais consciente, comecei a ver que, ao salvar as pessoas, eu lhes estava transmitindo telepaticamente o seguinte: "Não confio em você e acho que você não está assumindo a sua vida. Acho que você é um ser infeliz, que não sabe tanto quanto eu, e acho que você precisa de ajuda."

A pessoa a quem você está salvando capta isso telepaticamente, de modo que você está minando a força dela, em vez de ajudá-la. E, o que é mais importante, você não está cuidando de si mesmo, que é a única coisa que irá pôr em ação a energia a transformar a situação. Você precisa admitir que normalmente salva porque teme que os outros o abandonem. O medo é: "Se eu não cuidar dos problemas dos outros, eles me deixarão e ficarei sozinho." Se começar a se recolher em seu interior para curar a si próprio, começará a ver que há alguém ali para você – é você mesmo. É interessante que, quando você se ajuda emocionalmente, os outros espelham isso, dando-lhe bastante amor e apoio.

Compreendo que é difícil mudar antigos padrões de salvamento e de preocupação com os outros. O medo e a culpa vêm à tona. Surgem pensamentos como: "Será que eu mereço realmente gastar tempo comigo? O que acontecerá com as pessoas que precisam da minha ajuda?" As vozes da culpa e do medo só se aquietarão quando você começar a ver os resultados. As pessoas a quem você queria salvar começam a cuidar de si mesmas e você se sentirá melhor.

Não estou tentando desencorajar as pessoas se ajudarem umas às outras. Estou apenas dizendo que, antes de fazer isso, você precisa admitir que o faz por você mesmo. Admita que a dor dos outros também existe em você. Vá então até o seu interior e peça ajuda ao universo: "Universo, ajude-me a transformar esta situação. Ajude-me para que eu me cure, para que me torne um canal para a sua luz." Ao fazer isso, você estará tirando o foco de cima da outra pessoa, admitindo o seu próprio sentimento de desamparo e pedindo orientação e assistência.

A única maneira de ajudar verdadeiramente os outros é fazer exatamente aquilo que você realmente queria fazer. Se você diz: "Ah, eu *devia* fazer alguma coisa em relação a isto" – não é o universo, são os seus "*devias*" e a sua culpa. Ou talvez seja o seu computador mental tentando encontrar uma solução racional. Se você confia no seu sentimento intuitivo e só naquilo que sente a cada momento, o universo está livre para entrar em ação através de você de maneira espontânea e imprevisível.

Por exemplo, poderá parecer duro e cruel não ajudar um amigo que deseja algo de você. Mas se você encontra alguma relutância em se doar nessa situação (e sabe que normalmente você é uma pessoa que se dá), deve confiar no sentimento e assumir o risco de dizer um "não" ao seu amigo. Há boas possibilidades de que nesse caso você esteja apoiando alguma forma de impotência nessa pessoa, se der o que ela pede. Ao confiar no seu sentimento intuitivo, que o instruía a não "ajudar" naquele momento, você na verdade estará ajudando o seu amigo a descobrir em si o seu próprio potencial.

Num outro caso, poderá parecer completamente maravilhoso a idéia de dar apoio a alguém. Confie no sentimento e dê esse apoio espontaneamente. Quando a doação vem do seu coração e não exige sacrifício de sua parte, você sabe que é o universo que vem através do seu canal.

O universo não segue nossas boas idéias a respeito das maneiras como deveriam ser as coisas e a respeito dos nossos cuidadosos planos e operações de salvamento. Ele nos orienta de modo a permitir que a luz brilhe através de nós.

Como transformar a consciência de vítima

As pessoas deixam de ser vítimas quando não há mais ninguém para salvá-las ou quando censurar os outros pelas suas vidas torna-se tão doloroso, que elas desejam mudar. Em geral isso acontece simultaneamente. Os outros se cansam de salvá-lo, ao mesmo tempo que você se cansa de ser a vítima.

Ao transformar esse sentimento de vítima, a pessoa muda toda uma vida de crenças. Desde o nascimento dizem-nos que o importante é o exterior e, assim, esperamos que a cura, a força, o amor e a riqueza venham de fora. Quando não vêm, começamos a reclamar.

Olhar para dentro, em vez disso, é ir contra tudo o que aprendemos. Estamos nos descartando de um hábito muito antigo de reclamar e olhando para o universo em busca de iluminação. Se você sente que o fizeram de vítima é importante ir imediatamente para dentro de você mesmo. Peça: "Universo, mostre-me o que eu preciso para tratar disto. Ajude-me a saber que você é a minha fonte de energia." Fique depois aberto para as respostas que virão. Elas poderão vir de maneiras diferentes – uma mensagem vinda de seu interior, um telegrama, a oferta de ajuda de alguém. Quando eu digo para você "ir para dentro de si mesmo para obter as respostas", isto não exclui receber ajuda externa – significa apenas garantir que você compreenda que a força do universo está dentro de você e que você pode atrair tudo aquilo de que precisa. Saiba que você é totalmente responsável pela situação em que está e volte-se para o universo interior, *antes* de sair atrás de ajuda exterior.

Fazendo isso, você está respeitando a sua força. O seu feminino interior sentirá isso e responderá canalizando mais sabedoria e força através de você.

A principal cura nesse processo ocorre quando as pessoas se recusam a ver a si mesmas e aos outros como desamparados. Mesmo os acontecimentos que parecem "acidentais" são atraídos pelas pessoas para curá-las de suas crenças e modelos antigos.

Quando as pessoas em meus seminários se encontram em situações aparentemente "impossíveis" ou "desesperadoras", estimulo-as a descobrir a própria força na situação pela qual estão passando, a observar as opções que fizeram e como podem ter tido a necessidade de criar essa situação para aprender mais sobre si mesmas.

Sem sabermos como ser delicados para conosco mesmos, optamos por algumas lições um tanto duras. Nossas vozes interiores querem ser ouvidas e, se as ignorarmos sempre, nos sentiremos cada vez mais insatisfeitos. Acidentes, doenças e dores podem ser evitados se quisermos ouvir a nós mesmos e agir segundo a orientação que vem lá de dentro. Pense nas histórias seguintes, que ilustram os diversos aspectos do sentimento de vítima/salvador.

Num dos meus seminários, uma mulher contou que havia sido despertada do sono e violentada sexualmente. De início, era impossível para ela ver qual era a sua força naquela situação ou que compreendesse como poderia ter escolhido uma forma tão dolorosa e assustadora de se curar. A curra a deixara com um sentimento de impotência, com medo de que isso pudesse acontecer outra vez.

Para tirar parte do seu medo, senti que era importante que ela compreendesse como ela própria poderia ter criado essa situação. Assim, ela poderia começar a ver o potencial de cura que isso implicava. Se ela se visse como alguém que tem uma opção, poderia também se livrar de qualquer receio de ser violentada uma segunda vez.

Ela começou a procurar mais profundamente a causa da violência que havia sofrido. Durante anos, tivera medo de ser violentada por um homem e acreditava seriamente que isso lhe poderia acontecer. Viu também que toda a sua vida fora dedicada ao papel de vítima. Em geral, ela via os outros como pessoas capazes de influenciá-la, ao passo que ela mesma não tinha muita opção, a não ser sujeitar-se a essas influências. Acredito que ela criou uma situação exterior que espelhava e intensificava o que ela sentia por dentro. Trazendo suas crenças à consciência, ela agora podia curá-las, pois já não a controlavam num nível inconsciente.

Ao mesmo tempo que verificava alguns dos motivos causadores do que lhe acontecera, também era importante que ela *sentisse* plenamente os sentimentos que tinha em relação a essa situação. Era grande a sua raiva, em relação ao homem que a violentara e em relação a outras pessoas em sua vida. Quando compreendemos como podemos ter atraído coisas negativas para nós, é importante não voltar nossa ira ou medo para dentro, para nós mesmos. Mesmo que o nosso intelecto consiga ver a ação de sua sabedoria superior no caso, os sentimentos precisam ser expressados. A mulher violentada precisava sentir os seus sentimentos totalmente, para que pudessem ser esclarecidos e ela retomasse a sua força pessoal. Ela estava pronta para fazer isso. Umas duas semanas depois do seminário, me visitou para dizer que havia conseguido dormir à noite sem deixar uma luz acesa por medo de um ataque.

Uma outra cliente trabalhava como terapeuta na unidade das drogas e alcoolismo de um hospital local. Começou a sentir-se esgotada, mas sentia que não havia como tirar uma licença no trabalho sem pôr em risco o emprego. Perdera-se a si mesma, ajudando aos outros e não conseguia ver como ajudar a si própria. Continuou a ir ao trabalho, salvando os outros, enquanto descuidava de seus sentimentos interiores, que imploravam a sua atenção. Ficou mais cansada ainda, começou a guardar rancor de clientes e, geralmente, andava enfurecida. Seu carro quebrou três vezes em três meses, diminuindo ainda mais sua esperança de largar o emprego, pois as despesas de conserto eram cada vez maiores. Ela não via saída.

Como não havia feito nada a respeito de sua ira e de sua frustração, ela começou a sentir medo de tudo. Tinha medo de ir trabalhar, tinha medo dos clientes e tinha medo de sua situação. Estava encerrada no processo de salvamento e se sentia uma vítima da situação financeira. Começou a se desesperar.

Um dia, chegou ao trabalho e não conseguia entrevistar nenhum cliente. Começou a falar sobre a sua situação. Os colegas a estimularam a tirar uns dias de folga. Como já começavam a se manifestar os efeitos físicos resultantes de toda essa tensão, ela foi ao médico, que diagnosticou incapacidade de reação ao *stress*.

Ela saiu da cidade por um mês para descansar. Começou a dar ouvidos às suas necessidades interiores, a agir de acordo com elas e a se tratar.

Rompendo o padrão de salvador e vítima, ela liberou muita energia criativa que estivera bloqueada pelo emprego. Descobriu que sua criatividade podia ser canalizada de outras maneiras. Começou a dar seminários divertidos e a dar vazão à sua imaginação, voltando a escrever. Optou por não voltar para o hospital.

Num de meus seminários, outra mulher estava tendo uma série de pequenos acidentes dentro de casa. Intuitivamente, sentira que tinha de parar de se forçar a cumprir certos projetos de trabalho, mas também sentia que não podia diminuir sua atividade. Continuou a se forçar, até que teve um acidente de automóvel e foi parar num hospital. Neste ponto, ela já não podia mais se forçar e teve de aceitar a redução dos seus esforços. Durante a estadia no hospital, ela decidiu vender a casa e sair de seu negócio. Começou a viajar, permitindo-se fazer o que sempre desejara. Não teve mais acidentes e hoje se sente muito feliz e animada com a vida que leva.

Exercício

O método vítima/salvador
Primeira parte

1. Faça uma lista de todos os modos em que você se sente impotente ou vítima.

2. Começando com a primeira situação da lista, feche os olhos e veja-se nessa situação de impotência. Sinta a frustração, o desamparo e o desespero. Fique fazendo isso por alguns minutos.

3. Agora, imagine-se enfurecido e cheio de raiva em relação a como se tornou um impotente em sua vida. Deixe que sua ira seja a energia que irá ajudá-lo a decidir não fazer mais isso consigo mesmo.

4. Veja-se então cheio de uma sensação de força, de vigor, de criatividade, de beleza e espírito. Veja que você tem escolhas, opções. Tendo começado a ver e a sentir isso, explore a maneira como iria lidar com a situação de impotência em que se encontrou. Aceite qualquer imagem ou idéia que venha à sua mente.

5. Repita todos os passos acima para cada um dos itens que consta da sua lista.

Segunda parte

1. Faça uma lista das situações em que você esteja salvando os outros.

2. Para cada situação, feche os olhos e veja a pessoa ou pessoas a quem você salva como cheias de força. Deixe-as com sua própria força, com a sua própria ligação com o universo.

3. Verifique então do que é que você precisa cuidar em si mesmo, em cada situação. O que você pode fazer por si mesmo para se sentir realizado?

14
Como encontrar o equilíbrio

Como canais para o universo, devemos ter à disposição toda uma série de expressão e emoção. Se a força superior nos diz para saltar, devemos ser capazes de saltar sem parar para fazer perguntas. Se ela nos diz para esperar, temos de ser capazes de relaxar e desfrutar de um tempo sem atividades até que chegue a próxima mensagem. Seremos sempre impelidos a explorar aspectos de nós mesmos que são menos desenvolvidos, para expressar e nos provar de novas maneiras. Se ignoramos esses impulsos interiores, seremos obrigados, por circunstâncias externas de vida, a explorar nosso ser interior de alguma forma. De uma ou outra maneira, o nosso eu superior cuida para que obtenhamos a mensagem sobre o que temos de fazer. Podemos ir de um extremo ao outro até encontrar o equilíbrio.

Você pode esperar que a sua intuição o leve em direções novas e diferentes. Se está satisfeito com um tipo de personalidade ou padrão, provavelmente lhe será pedido para começar a expressar o oposto. É muito bom saber disso, especialmente quando você está no processo de aprender a ouvir a sua voz interior. Uma boa regra seria "esperar o inesperado".

Descobri que parecem existir dois tipos básicos de personalidade. Poderá ser útil reconhecer qual é a sua tendência mais forte. Algumas pessoas têm uma combinação dos dois tipos – em geral, seguem um padrão em determinados setores de suas vidas e outro padrão em outros setores.

Os dois tipos poderiam ser chamados de "os que fazem" e de "os que são". Só muito superficialmente correspondem aos tipos de personalidades A e B na terminologia psicológica habitual.

"Os que fazem" são pessoas essencialmente voltadas para a ação. Elas sabem conseguir que as coisas sejam realizadas e normalmente não têm medo de arregaçar as mangas e assumir riscos para expressar-se ou experimentar coisas novas. Essencialmente, são muito boas na expressão de sua energia extrovertida. Elas não conseguem receber muito bem. Não gostam de sentir-se vulneráveis. O mais difícil para essas pessoas é não fazer nada – não estar envolvidas em algum gênero de atividade construtiva. O tempo sem estrutura torna-as insatisfeitas e elas o preenchem com uma série de atividades. Tendem a ser agitadas e a ter dificuldade para relaxar. Desenvolvem melhor sua energia masculina, ativa, e estão um tanto insatisfeitas com seu lado feminino, receptivo.

"Os que são" estão voltados principalmente para a sintonia interior. Sabem como relaxar e descansar. Gozam os prazeres sutis da vida e em geral sabem cuidar de si mesmos e dos outros; sabem brincar. Em geral, são pessoas flexíveis e ficam felizes em viver com o tempo não estruturado. Não gostam de ação. Não determinam muito as coisas e às vezes não conseguem expressar sentimentos e opiniões. Preocupam-se com o que os outros pensam a respeito delas. Poderão estar insatisfeitas no mundo e não ter confiança para lidar com as pessoas, os negócios, o dinheiro e assim por diante. Essas pessoas têm sua energia feminina, receptiva, mais desenvolvida; não se sentem bem e desconfiam de seu lado masculino, extrovertido.

Se você é essencialmente alguém voltado para o "fazer", sua intuição quase certamente irá levá-lo a fazer menos. Seus sentimentos dirão que pare, que relaxe e tome um dia de folga (ou uma semana, ou seis meses!), para passar mais tempo sozinho consigo mesmo na natureza, para passar o tempo sem planos, sem compromissos, cuidando apenas de seguir sua energia como você a sente. O mais difícil para um fazedor é não receber mensagem alguma, viver à espera, sem fazer nada até que algo aconteça. Eu sou basicamente uma fazedora, uma pessoa compulsivamente ativa, com a mania de fazer listas – uma das coisas mais difíceis para mim foi quando o universo me forçou a não fazer nada! Mesmo assim, acho que esses momentos são os mais fortes e os mais inspiradores de todos, porque são os momentos em que eu realmente paro o suficiente para sentir o meu espírito. Na verdade, acabei por compreender e tive de admitir que *eu me mantive muito ocupada a vida inteira, para evitar sentir essa força*. Eu tinha medo de tempo e espaço "vazios", porque estava realmente cheia de energia universal.

Se você se sente mais satisfeito apenas "sendo", sem a menor dúvida será impelido pelo seu eu interior a mais ação, a mais expressão, a assumir mais riscos no mundo. O mais importante para você é seguir seus impulsos e tentar fazer coisas que normalmente não faria por impulso. Não há necessidade de saber por que você está fazendo algo ou verificar algum resultado especial disso inicialmente. É importante apenas exercitar a ação espontânea dos seus sentimentos, especialmente quando se trata de lidar com pessoas, expressando sua energia criativa no mundo, fazendo dinheiro ou qualquer coisa que normalmente você evitaria. *Não se force nem se obrigue a ir mais longe do que já está pronto para ir*. É muito importante respeitar seus próprios limites e ritmos de crescimento. Procure assegurar-se de que a voz está vindo do seu tirano interior, dizendo: "Você *não* devia se expor desta maneira." (Se existe um "devia" ou "não devia", essa jamais é a voz do universo.) Em vez disso, siga os sentimentos que o orientam a exercitar a expressão pessoal e a construir sua autoconfiança dando-lhe apoio.

Meditação

Encontre uma posição confortável e feche os olhos. Respire algumas vezes profundamente e, a cada vez que exalar, relaxe o corpo e a mente, passando a um nível tranqüilo e profundo de consciência. Imagine-se como uma pessoa muito equilibrada. Você consegue relaxar, brincar e cuidar de si mesmo e gosta de ter tempo e espaço quando não há nada de especial a fazer. Mas atue com seus sentimentos e impulsos espontaneamente, expresse-se com força e de maneira direta e arrisque novas experiências sempre que estiver inspirado a isso. Você vive em toda a amplitude do existir e do fazer; por isso pode seguir sua orientação interior em qualquer direção que ela o levar.

Exercício

Se você basicamente é um "fazedor", passe um dia inteiro conscientemente fazendo o mínimo possível. Tome nota de como se sente e do que acontece.

Se você se sente melhor "existindo" do que "fazendo", tome um dia todo para agir em cima de qualquer impulso ou inspiração que tiver, sem esperar nenhum resultado especial. Experimente coisas novas e fora do comum, especialmente as que envolvam o contato com pessoas ou novas formas de acabar com o isolamento em relação ao mundo. Observe como está se sentindo antes, durante e depois que fizer isto.

15
Os relacionamentos

Os relacionamentos no velho mundo estão concentrados no exterior – tentamos nos sentir completos e felizes obtendo algo que está fora de nós. É inevitável que essa expectativa resulte em decepção, ressentimento e frustração. Esses sentimentos geralmente tomam duas direções: ou se expandem para causar um desgaste contínuo, ou são reprimidos e levam ao entorpecimento emocional. Não obstante, nos apegamos a relacionamentos por insegurança emocional ou passamos de um a outro, em busca da cara-metade perdida que ainda não encontramos.

Temos andado nesta situação desagradável no mínimo há alguns milênios – parece que agora estamos chegando a um ponto crítico. Os relacionamentos e as famílias, como os conhecemos, parecem estar desmoronando rapidamente. Muitas pessoas estão apavoradas com isso, algumas tentam restabelecer as antigas tradições e os velhos sistemas de valores, para que possam ter uma sensação de ordem e de estabilidade.

Mas é inútil tentar voltar atrás, porque nossa consciência já evoluiu para além do nível em que desejávamos fazer os sacrifícios para viver daquela maneira. Antigamente, a maioria das pessoas se apegava pela vida inteira a um relacionamento essencialmente morto, porque isso lhes proporcionava estabilidade material e emocional.

Hoje, um número cada vez maior de pessoas compreende que é possível ter uma intimidade maior, uma vitalidade e uma paixão mais consistentes num relacionamento. O que queremos é abandonar as velhas formas para sair em busca desses ideais, mas não sabemos como encontrá-los. Em geral, ainda continuamos olhando para fora de nós mesmos, certos de que, se encontrarmos o homem certo ou a mulher certa, seremos ditosamente felizes, ou achando que, se nossos filhos ou nossos pais se comportassem da maneira certa, estaríamos muito bem. Estamos confusos e frustrados; os relacionamentos parecem estar no caos e não temos as tradições antigas para nos apoiar, nem nada de novo para tomar o lugar delas. Mas não podemos voltar atrás; mesmo assim, temos de ir para a frente, para o desconhecido, para criar um novo nível de relacionamento.

Mas os relacionamentos não estão fora de nós – todos os outros são apenas espelhos deste. À medida que aprendo a gostar de mim, automaticamente recebo o amor e a valorização que desejo dos outros. Se tenho um compromisso para comigo mesma e para com a verdade, atrairei outros que tenham um compromisso semelhante. Minha vontade de ter intimidade com meus próprios sentimentos cria o espaço para a intimidade com os outros. Apreciar a minha companhia permite que eu me divirta com qualquer pessoa com quem esteja. Sentir a animação e a força do universo fluindo através de mim cria uma vida de sentimentos e de realizações apaixonadas, que irei compartilhar com quem estiver envolvida.

Como tomar conta de nós mesmos

Muitos de nós jamais aprendemos realmente a tomar conta direitinho de nós mesmos; por isso, nossos relacionamentos se baseiam em tentar arranjar alguém para tomar conta de nós.

Quando bebês, éramos muito sabidos e muito intuitivos. Desde a hora em que nascemos, percebemos a dor e a necessidade emocional de nossos pais, e imediatamente começamos a desenvolver o hábito de tentar agradá-los e de atender às necessidades deles, para que continuassem a cuidar de nós.

Mais tarde, nossos relacionamentos continuam seguindo o mesmo esquema. Há um acordo telepático inconsciente: "Tentarei fazer aquilo que você quer que eu faça e ser a pessoa que quer que eu seja, se você ficar aí para mim, dando-me o que preciso e não me abandonar."

Este sistema não funciona muito bem. As outras pessoas raramente são capazes de atender às nossas necessidades de maneira coerente ou satisfatória, de modo que ficamos decepcionados e frustrados. Com isso, ou tentamos mudar as outras pessoas para que melhor se adaptem às nossas necessidades (o que nunca dá certo), ou nos conformamos em aceitar menos do que realmente desejamos. Além do mais, quando tentamos dar à outras pessoas o que *elas* querem, quase invariavelmente fazemos coisas que não queremos realmente fazer e terminamos deixando-as ressentidas, consciente ou inconscientemente.

A este ponto, talvez tenhamos compreendido que não dá certo viver na expectativa de que, ao cuidar dos outros, eles irão cuidar de nós. Eu sou a única pessoa que realmente pode cuidar bem de mim, de modo que deveria fazê-lo diretamente e permitir que os outros façam o mesmo por si.

O que significa tomar conta de si? Para mim, significa confiar e seguir a minha intuição. Significa ter algum tempo para ouvir todos os meus sentimentos – incluindo-se aí os sentimentos da criança que existe dentro de mim, que às vezes está ferida ou tem medo – e responder com carinho, amor e com a ação mais adequada. Significa colocar meus sentimentos internos em primeiro lugar e acreditar que, fazendo isso, as necessidades de todos serão cuidadas e tudo o que precisa ser feito será feito.

Por exemplo, se me sinto triste, posso mergulhar na cama e chorar, tomando um tempo para ser carinhosa e cuidar de mim. Poderia também encontrar alguma pessoa afetuosa com quem conversar, até que alguns dos sentimentos sejam liberados e eu me sinta mais leve.

Se andei trabalhando duro demais, estou aprendendo a pôr de lado o trabalho, por mais importante que pareça, tomando algum tempo para me divertir ou apenas tomando um bom banho quente e lendo um romance.

Se uma pessoa de quem gosto deseja algo de mim que eu não quero dar, estou aprendendo a dizer não e a acreditar que ela realmente estará melhor do que se eu fizesse o que ela queria num momento em que eu não queria fazê-lo. Dessa maneira, quando digo "sim", quero realmente dizer "sim".

Há um ponto muito importante que desejo levar em consideração aqui: é sobre algo que me deixou confusa por muito tempo, mas que finalmente compreendi: *tomar conta de si mesmo não significa "fazer isso sozinho"*. Criar um bom relacionamento consigo mesmo não é algo que se faz no vazio, sem um relacionamento com outras pessoas. Se fosse assim, bastaria que nos tornássemos eremitas durante alguns anos, até que cada um de nós tivesse um perfeito relacionamento consigo mesmo, para logo em seguida passar subitamente a ter relacionamentos perfeitos com os outros.

Naturalmente, é importante sermos capazes de estar a sós, e é comum que as pessoas se retirem dos relacionamentos exteriores até que se sintam realmente satisfeitas consigo mesmas. Entretanto, mais cedo ou mais tarde, você terá de usar os espelhos. Você precisa construir e reforçar o relacionamento consigo mesmo no mundo da forma através da interação com as outras pessoas.

A diferença está na *ênfase*. No velho mundo dos relacionamentos, a ênfase estava *na outra pessoa e no relacionamento em si*. Você se comunicava, com o objetivo de tentar fazer com que a outra pessoa o compreendesse e lhe desse mais daquilo que você necessitava. Nos relacionamentos do novo mundo, a ênfase está em construir o seu relacionamento consigo mesmo e com o universo. Você se comunica para manter livre o seu canal e para dar a si mais daquilo que necessita. As palavras podem até ser as mesmas, mas a energia é diferente e também o resultado será diferente.

Por exemplo, imagine que estou me sentindo sozinha e quero que o meu companheiro venha passar a noite comigo, embora eu saiba que ele tem outros planos. É provável que, antes, eu tivesse medo de pedir diretamente o que desejava. Talvez ficasse em casa sozinha, concentrando-me em aprender a gostar de ficar sozinha. Mais tarde, quando fosse falar com ele, sentiria algum rancor, embora não o admitisse – nem para mim nem para ele. Entretanto, ele, por sua vez, captaria esse rancor e iria sentir-se culpado e ressentido em relação a mim. Nada disso viria à luz até mais tarde, quando estivéssemos tendo uma discussão e eu dissesse: "É, você não dá a menor bola para os meus sentimentos, nunca deseja estar comigo..." A essa altura eu estaria lhe comunicando telepaticamente o meu sentimento implícito de que ele é responsável pela minha felicidade.

Hoje (felizmente), eu seria mais direta desde o início. Diria: "Sei que você tem outros planos, mas estou me sentindo sozinha e realmente queria que você passasse a noite comigo." Estou assumindo a responsabilidade de pedir o que quero e, fazendo isso, estou realmente tomando conta de mim mesma, embora esteja pedindo algo a ele. O essencial é saber que o importante realmente sou eu – é isso o que estou sentindo e é isso o que eu quero. Tenho de estar disposta a ser muito vulnerável fazendo isto. Mas descobri que é a vontade de dizer o que sinto e quero que me faz me sentir inteira. Em certo sentido, já me sinto mais realizada porque estou disposta a *me* dar apoio.

Está tudo às claras, as cartas na mesa, e ele está livre para responder com honestidade. Se concordar com o meu pedido, ótimo! Se não, talvez me sinta triste ou magoada. Comunicarei meus sentimentos (mais uma vez, fazendo isto em nome de mim mesma, para me manter desanuviada) e depois, esqueço. Usarei essa noite como um momento para entrar mais profundamente dentro de mim e da minha ligação com o universo.

Descobri algo muito interessante. Quando eu me comunico de um modo franco e direto, dizendo tudo aquilo que quero dizer, parece que não tem muita importância o modo como as outras pessoas respondem. Elas talvez não façam exatamente o que eu quero, mas eu me sinto tão leve e tão resignada por ter tomado conta de mim mesma que é mais fácil desapegar-me do resultado. Se continuo sendo honesta e vulnerável com meus sentimentos para com o meu companheiro, com a minha família e com os meus amigos, não porei um fim às necessidades ou ressentimentos ocultos.

Quando você cuida de si mesmo dessa maneira, é mais comum que obtenha aquilo que pede. Se não obtiver, o próximo passo é esquecer. Vá para dentro de si mesmo e sintonize aquilo que o seu ser interior diz que você deve fazer. Deixe sempre que ele o leve para uma ligação cada vez mais profunda com o universo.

Assim, uma parte importante de criar um relacionamento cheio de amor consigo mesmo está em reconhecer suas necessidades e aprender a pedir o que quer. Temos medo de fazer isso porque temos medo de parecer indigentes. No entanto, são as necessidades ocultas e não reconhecidas que nos fazem parecer indigentes. Elas não aparecem diretamente; por isso surgem de maneira indireta ou telepática. As pessoas as sentem e voltam-lhes as costas porque intuitivamente sabem que não podem nos ajudar se não reconhecemos essa nossa necessidade de ajudar!

É um paradoxo saber que se reconhecemos e aceitamos nossas necessidades, e pedimos uma ajuda diretamente, estamos na verdade nos tornando mais fortes. É o masculino dando apoio ao feminino. As pessoas se doam mais facilmente e nos sentimos cada vez mais felizes.

Seguindo a energia

Descobri que, quando quero confiar e seguir minha energia, ela me leva a relacionamentos com pessoas de quem eu mais tenho a aprender. Quanto mais forte a atração, mais forte o espelho. Assim, a energia sempre me levará para a situação mais intensa de aprendizado.

De início poderá ser assustador tentar viver dessa maneira. Sempre estivemos apavorados com a idéia de confiar em nossos sentimentos, especialmente no campo dos relacionamentos e da sexualidade. Como essa energia é muito intensa, muito mutável e imprevisível, receamos que passe a reinar o caos total. Ficamos apavorados com a idéia de ser magoados ou de magoar alguém. Não confiamos na idéia de que o universo sabe o que está fazendo, ou então não confiamos na idéia de que somos capazes de seguir com precisão nossa orientação interior. Há um bom motivo para isso: no setor dos relacionamentos, temos tantos padrões antigos e tantos vícios que às vezes é difícil ouvir exatamente a nossa verdadeira voz interior.

Não acredito que exista uma maneira fácil de resolver o nosso medo de confiar na nossa energia. Você pode optar por evitar a questão ou passar por ela com a disposição de seguir sua energia da melhor maneira possível, aprendendo com os seus "erros" e, enquanto isso, ir curando seus medos e construindo um canal mais límpido.

Até agora, a maioria das pessoas evitou lidar com seus medos, criando leis e estruturas rígidas para todos os relacionamentos. Cada relacionamento pertence a uma determinada categoria e cada categoria tem uma lista de regras e comportamentos adequados ligados a ela. Essa pessoa é um amigo; portanto, devo me comportar deste modo; é o meu marido, portanto, ele deve fazer tais coisas; essa pessoa está na minha família, por isso agimos assim entre nós – e assim por diante. Sobra muito pouco espaço para descobrir a verdade de cada relacionamento.

Algumas pessoas se rebelam contra esse sistema de regras e propositadamente criam relacionamentos que vão contra as normas estabelecidas – como os relacionamentos múltiplos, os relacionamentos homossexuais e bissexuais, e por aí afora. Quando motivados pela rebelião, esses relacionamentos, em grande parte, podem representar reações *contra* as regras e, mesmo assim, não significar uma verdadeira sintonia com a energia.

Assim como cada ser é uma entidade singular, diferente de todos os outros, todas as ligações entre um ou mais seres também são singulares. Nenhum relacionamento é exatamente como qualquer outro. Além disso, é da natureza do universo a constante mudança. As pessoas estão sempre mudando e os relacionamentos também.

Assim, quando tentamos rotular e controlar nossos relacionamentos, nós os matamos. Depois, perdemos uma porção de tempo e energia tentando em vão trazê-los de volta à vida.

Temos de estar dispostos a *deixar que nossos relacionamentos se revelem para nós*. Se estamos interiormente sintonizados, se confiamos em nós mesmos e nos expressamos de modo pleno e honesto uns para com os outros, os relacionamentos se desenvolverão de modo muito singular e fascinante. Cada relacionamento é uma aventura extraordinária, nunca se sabe exatamente que rumo tomará. O espírito, a forma e o sabor das relações mudam a cada minuto, a cada dia, a cada ano, podendo aproximar mais as pessoas ou afastá-las.

Mas, há uma coisa com a qual você pode contar. Os relacionamentos vividos desta maneira sempre irão levá-lo a níveis mais profundos de si mesmo e a uma confiança mais vigorosa em relação ao universo. Por sua vez, isso se refletirá pela maior intimidade e maior proximidade com os outros.

Compromisso e intimidade

Quando discutimos a idéia de confiar e seguir a nossa energia, as pessoas em geral perguntam onde entra o conceito de compromisso neste quadro.

Devido ao fato de terem estado mais concentradas nas coisas exteriores, a maioria das pessoas tentou assumir compromisso com um relacionamento exterior. Elas realmente estão se comprometendo com um determinado conjunto de regras: "Eu concordo em me comportar assim e assim, para que possamos nos sentir seguros a respeito deste relacionamento." Em geral, essas regras não são ditas com toda a clareza; elas estão implícitas. As pessoas dizem que estão num relacionamento de compromisso, mas raramente esclarecem a si mesmas, ou entre si, sobre qual é realmente o compromisso assumido.

Normalmente, uma regra implícita é que elas concordam em não ter relações sexuais com mais ninguém, embora isso seja algo bastante vago, pois ninguém define o que é "ter relações sexuais". Em geral, o que está implícito é não sentir atração sexual por mais ninguém. Mas como é que você pode assumir o compromisso de não sentir alguma coisa? Os sentimentos não estão sob o nosso controle consciente...

O problema do compromisso para com uma forma exterior é que ele não dá espaço para as inevitáveis mudanças e para o inevitável crescimento das pessoas e relacionamentos. Se você promete sentir-se ou se comportar segundo um determinado conjunto de regras, acabará tendo de escolher entre ser fiel a si mesmo ou ser fiel a essas regras. Quando deixa de ser honesto e autêntico, não sobra muito de você no relacionamento. Você termina como uma casca vazia – um belo compromisso, mas sem uma pessoa de verdade dentro dele!

Como esse tipo de compromisso tenta evitar que a *forma* do relacionamento mude, é mais comum que ele simplesmente não dure. O fato é que os relacionamentos *mudam* de forma e que nenhum compromisso poderá garantir que isso não aconteça. Nenhuma forma exterior pode nos proporcionar a segurança que buscamos. Você pode estar casado por cinqüenta anos e no qüinquagésimo primeiro ano o seu parceiro resolver deixá-lo!

Se pudermos ao menos compreender isso, evitaremos muita dor... É quase inevitável que as pessoas que se divorciam sintam que falharam, porque acham que todos os casamentos deveriam durar para sempre. Entretanto, na maioria dos casos, o casamento foi, na verdade, um grande sucesso – ele ajudou a cada uma das pessoas a crescer até o ponto em que elas já não precisam mais de sua forma antiga.

Em muitos casos, o que causa dor é o fato de não sabermos como permitir que a forma mude *e, ao mesmo tempo, como respeitar o amor e a ligação subjacentes*. Quando você está profundamente envolvido com um outro ser, essa ligação dura para sempre. Entretanto, a intensidade da energia no relacionamento aumenta ou diminui, conforme o que tiver para ser aprendido dele num momento determinado. Quando você já aprendeu bastante acerca do seu relacionamento com uma pessoa, a energia entre ambos poderá diminuir até o ponto em que já não precisem mais interagir num nível de personalidade – embora a ligação entre os dois espíritos continue forte. Às vezes, a energia se renova mais tarde, em outro nível.

Não compreendemos isso e nos sentimos culpados, decepcionados ou magoados quando os relacionamentos mudam de forma. Não sabemos como compartilhar satisfatoriamente os sentimentos; por isso, em geral, respondemos a esses sentimentos cortando nossas ligações com a outra pessoa. Isto provoca uma dor real, porque na verdade estamos cortando nossos sentimentos mais profundos. Descobri que as mudanças nos relacionamentos podem ser relativamente indolores, e até bonitas, quando conseguimos comunicar com honestidade e confiar em nós mesmos quando isso acontece.

A maioria das pessoas acredita que são necessários sacrifício e compromisso para a preservação de um relacionamento. A necessidade de nos sacrificar e de nos comprometer baseia-se num mal-entendido sobre a natureza do universo. Receamos que não haja amor bastante para nós e que a verdade poderá magoar. O fato é que o universo está sempre cheio de amor e a verdade, quando conseguimos enxergá-la, é sempre positiva. Nossas limitações e nossos medos fazem com que a verdade pareça negativa.

Quando quero ser honesta e pedir aquilo que desejo, para continuar compartilhando abertamente meus sentimentos, *sempre* descubro que a verdade implícita em qualquer situação é a mesma para todos os envolvidos. À primeira vista, parece que eu quero uma coisa e que a outra pessoa quer uma coisa diferente. Se continuamos a falar a verdade como a sentimos, mais cedo ou mais tarde o resultado será que ambas verificamos que podemos ter o que realmente desejamos.

Por exemplo, um casal de clientes meus passava por um grande conflito a respeito do trabalho. Eram sócios numa firma muito bem sucedida. Ela estava cansada da firma e queria fazer outra coisa. Ele adorava o trabalho e desejava continuar, mas não sem ela. Estavam sempre brigando a respeito de vender a firma (desejo dela) ou continuar a expandi-la (desejo dele).

Uma vez que começaram a se comunicar num nível mais profundo, eles desvendaram seus medos. Ela ansiava por se expressar criativamente de novas maneiras, mas estava apavorada com a idéia de não conseguir dar um passo para sair sozinha sem o apoio constante dele. Também receava não ser capaz de ganhar o mesmo tanto de dinheiro e que ele se ressentisse com a diminuição da contribuição dela para os rendimentos da família. Ele, por sua vez, tinha medo de não conseguir levar adiante o negócio sozinho, pois dependia muito da contribuição criativa da mulher e não confiava em sua própria capacidade intuitiva. Além disso, também tinha medo de que sua vida no trabalho se tornasse desinteressante e monótona sem o humor e o calor humano que ela trazia.

Depois de expressarem completamente seus sentimentos, conseguiram ver que ambos estavam no ponto de dar um salto para um novo nível de independência e criatividade. Estavam prontos para renunciar à parte da dependência que um tinha do outro e para desenvolver mais confiança em si mesmos. Aos poucos ela foi saindo do negócio e iniciou uma nova carreira muito diferente, que acabou achando muito divertida e compensadora. Ele continuou a dirigir a firma e a desenvolveu em direções novas e interessantes. O relacionamento dos dois melhorou pela independência e autoconfiança que experimentavam juntos.

Para mim, o compromisso que assumo é comigo mesma – amar, respeitar, obedecer e cuidar de meu próprio ser. Meu compromisso num relacionamento é com a verdade e a honestidade. Para qualquer pessoa que eu ame, prometo fazer o melhor possível para dizer a verdade, compartilhar os meus sentimentos, assumir a responsabilidade por mim mesma, respeitar a ligação que sinto com essa pessoa e sustentar essa ligação, não importa o quanto a forma possa mudar.

Um compromisso de verdade não garante a forma de um relacionamento; o verdadeiro compromisso permite que a forma esteja sempre mudando e que acreditemos nesse processo de mudança. Ele abre a porta para a verdadeira intimidade que é criada quando as pessoas se amam profunda e honestamente. Se duas pessoas permanecem juntas com base nisso, é porque elas realmente querem estar juntas. Elas continuam a encontrar intensidade no amor e a aprender uma com a outra, enquanto estão crescendo e mudando.

Os relacionamentos monógamos e os não-monógamos

Quando as pessoas ouvem pela primeira vez as minhas idéias sobre os relacionamentos, talvez achem que são bastante radicais – e talvez sejam mesmo. Mas em geral, falando um pouco mais com elas, descubro que não entenderam muito bem algumas das coisas que estou dizendo. Por exemplo, às vezes as pessoas acham que sou "contra a monogamia", que estou defendendo os relacionamentos não-monógamos. É claro que não é assim. O que eu defendo é a verdade: ser honesto para com os seus sentimentos e suas reações, ser verdadeiro consigo mesmo.

Algumas das pessoas que conheço estão envolvidas num relacionamento monógamo. Elas têm uma ligação sexual/romântica inicial e não querem nada mais. Poucas parecem ser bastante não-monógamas e não têm muita dificuldade em lidar com mais de um relacionamento sexual/romântico. A maioria das pessoas tem um certo grau de sentimentos conflitantes em relação a isso. Elas querem profundidade, proximidade e segurança com uma pessoa, sentem-se culpadas por se sentirem atraídas por outras e ameaçadas, se o parceiro é atraído por alguém. Por outro lado, elas se sentem um tanto limitadas e às vezes gostariam de ser livres para experimentar outras ligações. Os que se envolvem com muitos relacionamentos poderão também ansiar por encontrar alguém com quem estar exclusivamente.

Esses sentimentos são uma parte importante do nosso condicionamento humano e da necessidade de sermos sentidos e reconhecidos, pelo menos por nós mesmos e, de preferência, também pelas pessoas que nos são queridas. Os conflitos desaparecem automaticamente quando aprendemos a simplesmente aceitar e acreditar em nós mesmos. A verdadeira questão não é a forma exterior dos nossos relacionamentos – isto se resolve facilmente e sem esforço, quando aprendemos a confiar e a seguir nossa verdade interior. Cada pessoa criará os relacionamentos que são corretos para si mesma e para todos os envolvidos.

O romance

Quando encontramos alguém que é um espelho particularmente forte para nós, sentimos uma atração intensa (ou, no início, podemos ter uma sensação de repulsa ou antipatia – de qualquer maneira, um sentimento intenso). Se essa pessoa é do sexo certo e tem certas características, podemos sentir isso como atração sexual. Quando a energia é especialmente forte, sentimos o que se chama "estar apaixonado".

Estar apaixonado é realmente uma experiência muito forte de sentir o universo em ação em você. A outra pessoa tornou-se um canal para você, um catalisador que provoca a sua abertura para o amor, a beleza e a paixão que existe lá dentro de você. O seu canal se abre inteiramente, a energia universal passa por ele e você tem um momento ditoso de "iluminação" muito semelhante com os que certas pessoas têm depois de longos períodos de meditação.

Essa é a experiência mais impressionante e mais apaixonante que há no mundo e, é claro, a nossa vontade é agarrar-nos a ela. Infelizmente, não percebemos que na verdade estamos sentindo o universo dentro de nós. Reconhecemos que a outra pessoa provocou essa sensação e ficamos achando que ela é que é tão maravilhosa! É evidente que no momento em que nos apaixonamos, estamos percebendo com muita clareza a beleza do espírito daquela pessoa, mas não a reconhecemos como um espelho do nosso próprio ser. Apenas sabemos que temos esse incrível sentimento quando estamos com a outra pessoa e imediatamente começamos a entregar toda a nossa força para ela, a colocar a fonte da nossa felicidade fora de nós mesmos.

A outra pessoa logo se torna um objeto – algo que desejamos possuir e a que queremos nos apegar. O relacionamento torna-se um vício: como acontece com a droga, queremos sempre mais de algo que nos deixa "inebriados". O problema é que nos viciamos com a *forma* da pessoa, não reconhecendo que o que queremos é a *energia*. Concentramo-nos então na personalidade e no corpo, tentando nos agarrar a isso, segurar isso. No instante em que fazemos isso, a energia fica bloqueada. Apossando-nos com tal força do canal de energia, na verdade nós o estamos estrangulando, bloqueando a própria energia que buscamos.

A paixão verdadeira nos une, mas a carência inevitavelmente surge em seguida. O relacionamento começa a morrer quase no instante em que floresce. Nesse momento, nos apavoramos e, em geral, apertamos com mais força ainda. A experiência inicial de apaixonar-se foi tão forte que às vezes passamos anos tentando recriá-la – mas, quanto mais tentamos, mais ela nos foge. Só no momento em que desistimos e afrouxamos esse aperto é que a energia volta a fluir e podemos de novo tocar o mesmo sentimento.

Essa é a natureza do romance no velho mundo. Passamos milhares de anos tentando fazer com que ela funcione. Nossas canções, histórias e dramas preferidos refletem e reforçam a natureza viciada e externa dos nossos relacionamentos e a conseqüente dor e frustração.

No novo mundo, estamos descobrindo algo simples e bonito que pode curar a nossa dor: o verdadeiro romance é viver na luz.

Um caso de amor

Estou descobrindo que estar viva é um caso de amor com o universo. Também acho que isso é um caso de amor entre o meu feminino interior e o meu masculino interior, entre a minha forma e o meu espírito.

À medida que construo e abro o meu canal, cada vez mais energia flui por ele. O sentimento e a paixão são mais intensos. Estar apaixonada é um estado que não depende de ninguém. No entanto, certas pessoas me atraem mais e parecem intensificar ou aprofundar o sentimento da força vital que há dentro de mim. Sei que essas pessoas são um espelho para mim e sei também que são canais para uma energia especial na minha vida.

Vou em direção a elas porque desejo a energia que sinto quando estamos juntas. Sinto o universo agindo através de mim para elas e através delas para mim. Isto poderia acontecer em qualquer espécie de troca – numa conversa, num toque, numa relação sexual. A energia em si me faz saber o que é preciso e o que é adequado. Trata-se de uma troca em comum, satisfatória e realizadora, porque o universo está dando a cada um de nós aquilo de que precisamos. Poderá ser uma experiência única, rápida, uma olhada ou uma pequena conversa com um estranho. Ou, então, um contato mais longo, um relacionamento profundo que dure anos. Vejo tudo isso, cada vez mais, como o universo que vem a mim através de muitos canais diferentes.

Acabei de escrever uma cena ideal. É claro que não a estou vivendo plenamente em todos os momentos. Muitas vezes me surpreendo cheia de medo e de vícios de relacionamento, mas estou realmente sentindo isso cada vez mais e, quando acontece, é maravilhoso!

Exercícios

1. Marque consigo mesmo um encontro romântico. Faça tudo como se estivesse saindo com o companheiro mais amável e mais interessante que possa imaginar. Tome um fabuloso banho quente, vista sua melhor roupa, compre flores para si mesmo, vá a um bom restaurante, dê um passeio ao luar, faça qualquer coisa que conseguir

fantasiar. Passe a noite dizendo a si mesmo como você é maravilhoso, o quanto gosta de si mesmo e qualquer coisa que gostaria de ouvir de um ser amado. Imagine que o universo é o seu amante e que está lhe dando tudo o que você deseja.

2. Da próxima vez que sentir um "impulso" romântico ou sexual em relação a alguém, lembre-se de que é o universo que você está sentindo. Seja o que for que fizer, lembre-se apenas que é tudo parte do seu verdadeiro caso de amor com a vida.

16
Nossos filhos

Viver como um canal para o universo também se aplica à maternidade e à paternidade, tanto quanto a qualquer outro setor de nossa vida. Embora eu não tenha filhos, há muitos anos tenho estado envolvida com uma porção de amigos que usam estes princípios no relacionamento com os filhos. Certamente não é muito fácil transformar nossos antigos conceitos e modelos para educar as crianças, mas os resultados são maravilhosos de se ver: a luz brilhante que se irradia dessas crianças, a satisfação e a realização para seus pais e a profundidade de aproximação e do compartilhar a vida que há entre eles.

Nossas velhas idéias sobre paternidade (ou maternidade) em geral faziam com que nos sentíssemos totalmente responsáveis pelo bem-estar de nossos filhos e tentássemos seguir algum comportamento padrão do que deva ser "um bom pai" ou "uma boa mãe". À medida que aprendermos a confiar em nós mesmos e a ser quem verdadeiramente somos, acabaremos descobrindo que estamos violando a maioria das regras antigas sobre o que faz um bom pai ou uma boa mãe. Mas a energia e a animação que experimentamos, a sensação de aumento de satisfação pela vida e a confiança em si mesmo e no universo irão fazer muito mais para ajudar nossos filhos do que qualquer outra coisa.

Em certo sentido, você não tem de educar seus filhos de maneira alguma! O universo é o verdadeiro pai ou mãe deles; você é apenas o canal. Quanto mais consegue seguir a sua energia e fazer o que é melhor para você, mais o universo virá através de você para todos os que estiverem à sua volta. Se você cresce, seus filhos também crescerão.

Quando os bebês nascem, são seres vigorosos e intuitivos. Recém-chegados ao mundo físico, eles passam seus primeiros anos aprendendo a viver num corpo. Suas *formas* são mais jovens e têm menos experiência que as nossas, mas seus *espíritos* são tão desenvolvidos quanto os nossos. Acredito mesmo que muitas vezes temos filhos espiritualmente mais desenvolvidos do que nós, de modo que podemos aprender com eles.

Nossos filhos vêm ao mundo como seres esclarecidos. Eles sabem quem são e a que vieram. Acredito que, em certo nível da consciência, pais e filhos fizeram um acordo. Os pais concordaram em dar apoio e assistência ao filho, no desenvolvimento de sua forma (corpo, mente e personalidade) e no aprendizado de como agir no mundo. Os filhos concordaram em ajudar os pais a estarem mais em contato com o seu eu intuitivo. Como as crianças ainda não perderam sua ligação consciente com o espírito, elas nos proporcionam um considerável apoio na religação com nosso Eu superior.

Os filhos necessitam basicamente de duas coisas de nós:

1. Precisam ser reconhecidos como quem realmente são. Se olharmos para nossos filhos e soubermos que são seres espirituais poderosos e sofisticados, e nos relacionarmos com eles dessa maneira desde o início, eles não terão necessidade de esconder sua força e perder o contato com o espírito, como faz a maioria das pessoas. O seu ser receberá o apoio e o reconhecimento de que necessita para continuarem claros e fortes.

2. Eles precisam do nosso exemplo vivo para viver com proveito no mundo da forma. Quando fazemos isso, eles observam como vivemos e nos imitam. Sendo muito perceptivos e pragmáticos, eles copiam o que nós realmente *fazemos* – e não o que *dizemos*.

Em retorno por assumirmos a responsabilidade por essas duas coisas, recebemos de nossos filhos uma abundância de energia vibrante e cheia de vida. A menos que sejam oprimidas numa idade muito tenra por ausência de apoio, as crianças são canais muito límpidos e poderosos. Como ainda não desenvolveram muita censura racional, elas são quase totalmente intuitivas, completamente espontâneas e absolutamente honestas. Observando-as, podemos aprender muito sobre como seguir a energia e viver criativamente.

A maioria dos pais não é muito capaz de cumprir suas responsabilidades com o sucesso que desejaria. Em geral, eles se atrapalham a respeito de seus papéis e responsabilidades, pois não tiveram modelos ou orientações muito claros. Até muito pouco tempo na história do ser humano, não se fazia muita pesquisa sobre a paternidade ou a maternidade, e ainda existem poucas fontes para a educação da paternidade ou da maternidade. A maioria dos pais ou mães usa o modelo do acerto ou erro. Portanto, todos cometeram muitos erros ou equívocos.

Conheci muitos pais que, agora que se tornaram mais conscientes, sentem uma enorme culpa e tristeza ao olhar para trás e ver como educaram seus filhos. É útil lembrar que as crianças são seres espirituais muito fortes, responsáveis pelas suas próprias vidas – elas os escolheram como pai ou mãe para que pudessem aprender as coisas que precisam realizar nesta vida.

Também ajuda muito saber que, à medida que você cresce e evolui, elas serão positivamente influenciadas e apoiadas pela sua transformação. Elas mudarão enquanto você muda, mesmo que estejam crescidas e morem longe de casa. Todos os relacionamentos são telepáticos – por isso, não importa a distância física, seus filhos continuarão a refletir você.

Como não andamos sintonizados o bastante com o nosso próprio ser, tem sido difícil reconhecer e confiar no espírito que há dentro de nossos filhos. Como eles não são desenvolvidos fisicamente, e racionalmente não têm nenhuma sofisticação, achamos que são menos conscientes e menos responsáveis do que realmente o são.

Observei em muitas pessoas a atitude implícita de que as crianças são um tanto desamparadas ou indignas de confiança e de que os pais são responsáveis por controlá-las e moldá-las para que se tornem seres responsáveis. Naturalmente, as crianças entendem esta atitude e a refletem no seu comportamento. Se você as reconhecer como seres fortes, espiritualmente maduros e responsáveis, elas responderão nessa mesma medida.

As crianças como espelhos

Por ainda estarem relativamente livres de condicionamentos e de crenças cristalizantes, as crianças são os nossos espelhos mais claros. Como seres intuitivos, estão sintonizadas com os sentimentos e respondem honestamente à energia como a sentem, pois ainda não aprenderam a encobrir seus sentimentos. Quando os adultos não falam ou não se comportam de acordo com o que estão sentindo, as crianças imediatamente apreendem essa discrepância e reagem a ela. A observação de suas reações pode ajudar a nos tornarmos mais conscientes dos sentimentos reprimidos.

Por exemplo, se você tenta parecer calmo e autocontrolado, quando por dentro está se sentindo perturbado e furioso, seus filhos poderão refletir esse estado de ânimo de volta para você, tornando-se bagunceiros e destruidores. Você está tentando manter o controle, mas eles "captam" a energia caótica subjacente e a refletem no seu comportamento. Por estranho que possa parecer, se você expressar diretamente o que está realmente sentindo sem disfarces ("Estou me sentindo mesmo muito perturbado e frustrado porque tive um dia péssimo. Estou furioso com o mundo, comigo e com vocês! Quero que vocês fiquem quietos para que eu possa arranjar um pouco de paz e sossego para tentar analisar os meus sentimentos. Será que vocês podiam me fazer o favor de ficar lá fora um pouquinho?"), em geral elas se acalmam. Ficam satisfeitas com a verdade, com a coerência que há entre o que você sente e as suas palavras.

Muitos pais acham que têm de proteger os filhos quando se sentem confusos, ou dos chamados sentimentos negativos. Acham que ser um bom pai ou uma boa mãe significa representar um papel – ser sempre paciente, estar sempre cheio de amor, ser sábio e forte. As crianças, na verdade, precisam de honestidade – elas precisam ver um modelo de ser humano que passa por todos os diferentes sentimentos e disposições, sendo honesto consigo mesmo. Deste modo, elas se sentem autorizadas e apoiadas para gostar de si mesmas, e para serem autênticas e verdadeiras.

Partilhar sentimentos com os filhos não significa descarregar a raiva em cima deles ou censurá-los por problemas que *você* venha a ter. Também não significa que você deva esperar que eles sejam o seu terapeuta e que o ajudem nos seus problemas. Quanto mais você exercitar a expressão honesta dos sentimentos, menos provável será que faça quaisquer dessas duas coisas. Mas, sendo humano, é possível que você de vez em quando descarregue a sua raiva ou frustração em cima deles. Fazendo isso, diga-lhes que você compreendeu que descarregou sua raiva em cima deles, peça desculpas e esqueça. Tudo isso é parte do aprendizado de se relacionar de uma forma íntima.

As crianças também servem como espelhos imitando-nos desde a mais tenra idade. Somos o modelo de comportamento para elas e por isso nos têm como exemplos. Assim, basta observá-las para verificar o que estamos fazendo!

Quando seu filho faz alguma coisa de que você não gosta, diga-lhe o que acha e trate disso diretamente. Mas pergunte-se também de que maneira esse comportamento é um reflexo seu e como você poderia estar encorajando isso em seu próprio processo de crescimento.

Por exemplo, se os seus filhos estão guardando segredos e escondendo coisas de você, pergunte a si mesmo se tem sido realmente honesto e aberto em relação a todos os sentimentos para com eles. Há alguma coisa que você esconde de si mesmo ou de alguém? De alguma forma você não tem confiança em si e, conseqüentemente, não confia neles? Se os seus filhos estão sendo rebeldes, dê uma olhada no relacionamento entre o seu tirano e o seu rebelde interior. Se esse tirano interior exerce muito controle sobre a sua vida, os filhos poderão estar imitando o lado rebelde reprimido que existe em você. Ou então, se você age muitas vezes como rebelde, eles poderão apenas estar imitando você.

Dê uma boa olhada para ver como esses problemas refletem o seu processo interior. Se você aprende e cresce com as suas experiências, seus filhos também o farão. Exteriormente, muitos desses problemas podem ser trabalhados através de um compartilhar sincero e profundo dos sentimentos, aprendendo a dar apoio a si mesmo, o que estimulará os filhos a fazer o mesmo. Talvez você prefira receber o apoio de um psicólogo ou de um terapeuta familiar para ajudar na mudança de padrões antigos.

Descobri que para muita gente a paternidade ou maternidade

é uma desculpa muito conveniente para que não aprendam e cresçam sozinhas. É muito comum que os pais passem a maior parte do tempo concentrados nos filhos, tentando assegurar-se de que aprendam e cresçam de maneira adequada. Assumindo a responsabilidade pela vida dos filhos, eles abandonam a responsabilidade pelas suas próprias vidas. Isso tem o resultado infeliz de fazer com que os filhos, inconscientemente, sintam que devem assumir a responsabilidade pelos pais (porque estes estão se sacrificando por eles). As crianças poderão imitar o comportamento dos pais, assumindo responsabilidade por outras pessoas, ou rebelar-se contra a pressão exercida por eles para que se conformem às expectativas dos pais, agindo de maneira oposta ao que estes desejam.

Os pais devem mudar o foco de sua responsabilidade, tirando-o dos filhos e passando-o para si mesmos – que é o certo. Lembre-se de que as crianças aprendem com o exemplo; elas tenderão a fazer o que você *faz* e não aquilo que você lhes diz que façam. Quanto mais você aprende a cuidar de si mesmo e a viver uma vida feliz e realizada, mais elas também o farão.

Isto não significa que você deva abandonar ou ignorar os filhos. Não significa que deve deixá-los fazer o que bem entendam. Você tem um relacionamento profundo com eles e, como qualquer outro relacionamento, este exige muito carinho e muita comunicação. É muito importante que todos expressem seus sentimentos, mostrem suas necessidades e imponham limites muito claros. Além disso, você aceitou determinadas responsabilidades para cuidar deles física e financeiramente. Você tem o direito de pedir uma co-responsabilidade e a cooperação deles.

O importante é a sua atitude. Se você realmente vê os seus filhos como seres fortes e responsáveis, tratando-os como iguais a você em espírito (reconhecendo, ao mesmo tempo, que eles são menos experientes do que você na forma), eles refletirão essa atitude de volta para você.

Desde o momento em que nasceram, considere que eles sabem quem são e o que desejam, e que também têm sentimentos e opiniões válidos a respeito de tudo. Mesmo antes que consigam falar, pergunte o que sentem sobre as coisas em que estão envolvidos e confie na sua intuição e nos sinais que eles derem para saber o sentido das respostas deles. Por exemplo, pergunte se gostariam de participar de um passeio ou se preferem ficar em casa com uma babá. Confie no que sentir sobre a escolha que fazem e comporte-se de acordo com esses sentimentos. Preste atenção depois aos sinais que eles derem. Se levá-los para sair e ficarem chorando o tempo todo, da próxima vez experimente deixá-los com a babá.

À medida que forem crescendo, continue a incluí-los nas decisões e responsabilidades da família. Tanto quanto possível, permita que eles tomem suas próprias decisões a respeito de suas vidas pessoais. Isto significa que às vezes terão de se haver com as conseqüências das decisões tomadas. Ofereça-lhes amor, apoio e conselhos, mas deixe que entendam sozinhos que suas vidas são basicamente responsabilidade deles. Estabeleça os seus próprios limites muito claramente – o que está certo e o que não está. Permitir que eles tomem suas decisões não significa adquirir o direito de se aproveitarem de você. Acima de tudo, tente comunicar os seus sentimentos mais honestos e peça que lhe digam sempre o que sentem. Quase todos os problemas das famílias são provenientes da falta de comunicação. É claro que os seus filhos não poderão saber como comunicar-se com clareza, se você mesmo não souber fazê-lo.

Parece muito difícil para os pais deixar de viver a vida dos filhos e começar a viver suas próprias vidas. Para isso, devem ter a vontade de admitir o quanto dependem dos filhos e o quanto receiam ser abandonados por eles. Em geral, tais sentimentos são mascarados por uma projeção invertida – os pais dirão a si mesmos que os filhos dependem deles e que não está certo começarem a cuidar apenas da satisfação de suas *próprias* necessidades.

Descobri que isto é uma questão falsa. A *verdadeira* questão é que os pais se sentem dependentes com relação aos filhos, da qual nem sempre têm consciência! Os filhos são tão cheios de vida e tão interessantes, que os pais secretamente sentem que suas vidas serão muito chatas sem eles. Talvez apenas tenham medo de encarar a si mesmos. Uma vez reconhecendo e aceitando esses sentimentos, começarão a tratar do vazio que há dentro de si e de suas vidas. Começarão a ver o que realmente querem e como poderão satisfazer suas vontades. Começam a confiar e a agir segundo seus próprios sentimentos intuitivos.

É nesse momento que as crianças começam a se desenvolver, a desabrochar. Finalmente, elas estão liberadas da tarefa inconsciente de tentar cuidar dos pais, estão livres para fazer com que suas vidas valham a pena ser vividas! As crianças começam agora a fazer o que realmente precisam fazer para si mesmas. Agora, podem tornar-se os canais que realmente são.

Um casal de bons amigos meus tem uma filha de quatorze anos. Desde antes de ela nascer, os pais tinham consciência da beleza e força interior da menina e sentiam que estavam em comunicação com esse novo ser. Estive presente na hora em que ela nasceu, em casa – foi um acontecimento maravilhoso. Poucos minutos depois do nascimento, eu a segurei e ela olhava firme e diretamente nos meus olhos (eu ouvira dizer que os bebês não conseguem ver nessa idade). Para mim estava bastante claro que ela tinha plena consciência do que estava acontecendo.

Ela foi criada de maneira muito parecida com a que descrevi acima. Sempre teve o respeito que merecia e sempre foi tratada como uma criatura muito consciente. Como resultado, ela é uma criança realmente notável. Onde quer que vá, as pessoas notam a sua forte presença. É muito fácil constatar que essa menina é um canal aberto para o universo.

Meditação

Fique em posição confortável e feche os olhos. Inspire profundamente algumas vezes e leve sua consciência para um lugar profundo e sossegado dentro de você.

Imagine o seu filho ou filha à sua frente. Olhe para dentro de seus olhos e sinta a força de seu espírito. Tome um tempinho para fazer apenas isto, estar com a criança, e receba quaisquer sentimentos, idéias ou impressões a respeito de quem realmente ela é. Comunique-lhe, em suas próprias palavras, o seu respeito e a sua apreciação por ela. Imagine que esse filho ou filha está comunicando o respeito e apreciação que sentem por você.

Se tiver mais de um filho, faça o mesmo com cada um deles. Esta meditação é muito boa para abrir o amor e a comunicação entre você e seus filhos, sejam eles crianças, jovens ou adultos.

Exercício

Fale sempre a verdade para seus filhos e expresse honestamente os seus sentimentos para com eles, mesmo que se sinta vulnerável ou não se sinta muito à vontade por não estar sabendo controlar-se muito bem. Pergunte como se sentem em relação às coisas da vida e tente realmente escutar o que tenham a dizer. Se você sentir a tentação de dar conselhos, pergunte antes se eles querem ouvi-los. Se não quiserem, diga *você* o que está pensando ou achando da situação.

17
Sexualidade e paixão

A energia sexual é paixão e vitalidade. É a força da vida, a força criativa do universo. A chave para uma vida apaixonada é confiar e seguir a energia que temos dentro de nós. Quanto mais acreditamos em nós mesmos e nos deixamos guiar pela nossa energia interior espontaneamente, mais livre e mais plenamente a força vital irá fluir através de nós. Quando não temos medo de sentir e de expressar os nossos sentimentos a todos, vivemos. Sentimos tudo com maior profundidade e tudo o que fazemos tem algo de orgasmo, de êxtase.

Quando confiamos e seguimos a energia do universo que temos em nós, ela nos leva à ação mais adequada em qualquer situação. Poderá nos levar a falar ou a ficar em silêncio, a nos movimentarmos, a dançar ou ficar parados, a cantar, a gritar, a chorar ou a meditar. Nas interações com os outros, poderá levar-nos a conversar, a abraçar, a sentar tranqüilamente ao lado de alguém e, às vezes, a termos relações sexuais. O sentimento apaixonado de estar vivo está em todas essas experiências e sua realização vem quando seguimos e expressamos naturalmente essa energia, como realmente a sentimos. Olhar para uma flor ou ter um instante de contato visual com alguém pode ser tão agradável e tão satisfatório quanto um relacionamento sexual, se ali, nesse momento, estiver a energia. Nossas vidas estão cheias da sexualidade do universo, embora certos tipos de experiência possam fazer com que a sintamos com maior intensidade do que outras.

Infelizmente, a maioria das pessoas tornou-se mestre em eliminar a energia sexual. Temos medo de nós mesmos e medo de onde a nossa energia sexual poderá nos levar. Instintivamente, sabemos que nossa energia sexual tem o poder de criar e transformar e que não há nada de seguro, estável ou sedentário nela. Nossos egos têm medo disso e, assim, em vez de confiar em nossos instintos naturais, aprendemos a reprimi-los. Nossas famílias, nossos companheiros, a sociedade e as organizações religiosas apenas nos ajudam na tentativa de reprimir, controlar ou explorar o que é natural. Os outros apenas espelham o medo que já sentimos. Como se afirmou em capítulos anteriores, o ego procura aquilo que conhece – o que é familiar, o que não muda. Ele precisa ser reeducado para aprender que, ao confiar no seu ser intuitivo, irá permitir que a energia flua, trazendo consigo plenitude e alegria.

Até certo ponto, estamos começando a dar mais apoio ao nosso corpo e a fortalecer nossa energia sexual. Muitas pessoas já falam abertamente sobre seus corpos e sobre o que sentem a respeito do sexo, mas ainda num nível muito superficial. Até agora não conseguimos tirar os séculos de mau uso e de crenças negativas armazenadas em nossas células. Embora estejamos afirmando a beleza do nosso corpo e reconhecendo o valor da desrepressão sexual, por baixo talvez ainda acreditemos que nossa energia sexual é uma força pecaminosa, perigosa. Não confiamos em nós mesmos.

Muitos ainda sofrem com a equivocada idéia de que a energia espiritual e a energia sexual são opostas, em vez de reconhecer que são a mesma força. As pessoas se dividem: tentam negar a própria sexualidade para serem mais espirituais, criam um enorme conflito dentro de si mesmas e terminam bloqueando a energia que buscam.

O universo é a energia sexual pura esperando derramar-se por nós. Esta força sem limites nos assustou, e respondemos a isso tentando embrulhá-la ou controlá-la. Estabelecemos regras e diretrizes para a nossa energia sexual, em vez de confiar sempre em nós mesmos.

Ninguém sabe como seria a energia sexual pura, solta, livre, porque estamos sempre nos rebelando contra ela ou assumindo as regras que estabelecemos. Esses dois comportamentos evitam que descubramos a verdadeira natureza da nossa energia sexual. É impossível estabelecer expectativas exteriores para uma energia tão sutil e variável.

Se você está impondo limites à sua energia sexual, ela se distorce. Se você acredita que há algo que deva ser escondido, ignorado e controlado, você aprende a se segurar totalmente e a agir apenas em determinados momentos sem risco. Mesmo tendo relações sexuais, estas podem não significar nada, pois você está muito acostumado a bloquear o que é natural. A energia não sabe como fluir. Um exemplo clássico é o da jovem a quem se diz que controle a energia sexual até o casamento e, depois, quando casada, espera-se que ela desbloqueie o que esteve controlando durante anos a fio. Por causa disso, ela tem problemas em deixar a energia fluir abertamente.

Muitas pessoas não querem submeter-se a regras sexuais repressoras e, por isso, rebelam-se, tendo relações sexuais a qualquer momento e sempre que podem. Forçar demais pode fazer com que a energia sexual se esgote, pois ela não está vindo lá de dentro. Quando a energia começa a acabar, essas pessoas passam a procurar, cada vez mais, formas de estimulação que as excitem e satisfaçam suas necessidades. A satisfação vai ficando cada vez mais longe – quanto mais se tenta chegar até ela, mais ela escapa.

Como eu disse anteriormente, se nos submetemos a regras exteriores ou nos rebelamos contra elas, a energia natural é ignorada. Entrar em contato com ela exige que abandonemos todas as idéias anteriores, significa mudar tudo aquilo que você andou fazendo. Para chegar à plenitude, temos de nos arriscar a acreditar em nós mesmos, aprender a pôr de lado as regras externas e descobrir nosso ritmo interior.

Confie no seu corpo – descubra sua energia sexual

A energia sexual de cada um é individual. Quando livres de todas as regras, limites e rebeliões, podemos descobrir o seu fluxo natural. Algumas pessoas desejarão expressar-se sexualmente mais do que outras. Algumas desejarão um amante, algumas nenhum, outras muitos amantes.

Eu acredito que podemos chegar a um termo de simplicidade em nossa sexualidade. Podemos sentir nossa energia com a mesma pureza da força do universo que flui através de nós. Podemos começar a confiar e agir com a nossa energia sexual sem a influência de idéias preconcebidas. Isto nos deixará livres para viver o momento.

Para chegar a esse ideal de pureza e simplicidade precisamos reconhecer como estávamos antes. Teremos de reexaminar todas as velhas crenças, a nossa capacidade de julgamento e as atitudes que evitaram que vivêssemos nossa verdadeira sexualidade.

Compreender isso pode ser muito simples: você poderá se descobrir atraído por alguém numa festa, observar o momento em que antecipa a cena de um encontro sexual com essa pessoa, ou reprimir seus sentimentos sexuais por já estar com alguém. Nos dois casos, você bloqueou o sentimento sexual, seja pela atitude de antecipação ou por tentar ignorá-lo. Você pode ver-se a si mesmo evitando a força de simplesmente sentir e apreciar essa manifestação da sua energia sexual. Parecerá algo avassalador quando verificar, pela primeira vez, o quanto lhe é difícil permanecer com a energia. Poderá também desejar mudar o antigo padrão e seguir o impulso da energia. Tentar mudar todas as nossas opiniões, limitações e toda a nossa rebeldia não ajuda muito. Descobri que o que ajuda realmente bastante é me aceitar da maneira como sou. Se eu quiser me aceitar com todas as minhas limitações, meu corpo irá relaxar em vez de retesar-se contra as mudanças. Depois ele muda, no seu tempo.

Nosso corpo desenvolve recursos complicados para andar em ritmo, ou melhor, mais precisamente, para controlar a energia que passa por nós. Nossas opiniões e limites já cumpriram com a sua parte em diminuir o fluxo da energia a um nível em que nos sentimos confortáveis. As pessoas muitas vezes usam comida e remédios para controlar e manipular o fluxo natural da energia. Mesmo quando parece que você está aumentando a sua energia com algum estimulante, na verdade você continua reduzindo a força do universo que passa por você. O mesmo se aplica ao sexo. As pessoas desenvolveram maneiras de regular o seu ritmo sexual: ou elas vão muito à frente de seus desejos naturais, para ter mais sexo do que realmente querem, ou bloqueiam seu desejo sexual. As duas maneiras controlam o fluxo da energia do universo através de nós.

Até estarmos prontos para sentir nossa força sexual, usaremos métodos como opiniões, idéias negativas, expectativas e velhos comportamentos para regular nosso ritmo. O simples reconhecimento e aceitação das razões pelas quais fazemos isso ajudam a desbloquear a energia.

Saber que darei apoio aos meus sentimentos a cada momento me dá liberdade para explorar minha energia sem nenhuma expectativa de que eu tenha de fazê-lo "da maneira certa". Existem medos, excitação e incerteza a respeito do sexo e, à medida que começarmos a explorar nossa energia, todos esses sentimentos virão à tona. Devemos aceitá-los todos.

Um exemplo disso pode ser iniciar um relacionamento sexual com uma nova pessoa e ter a lembrança de uma experiência anterior, que tenha sido entristecedora. Neste ponto, você pode preferir sentir a tristeza e dividir o que sente com o seu parceiro – ou poderá ignorar o que sente e fazer sexo. Mais uma vez, qualquer que seja a sua escolha, observe o que faz e como se sente. Observe como foi essa partilha do sentimento e observe como se sentiu depois. Seu corpo dirá o que é melhor a cada momento.

A recompensa que tenho quando sigo a energia é sentir-me muito bem. Ao permanecer com a energia, continuo com o universo dentro de mim. Cada vez mais desejo correr o risco de fazer isso por causa da força vital que sinto quando o faço.

O seguinte exercício ajudará a explorar a sua energia sexual:

Durante um dia, uma hora ou o tempo que desejar, faça de conta que não tem idéias preconcebidas sobre seus sentimentos sexuais e sobre o que deveria e não deveria fazer com eles.

Antes de sair da cama, observe o seu corpo. Vá, então, para dentro de si mesmo e veja se consegue descobrir dentro de você um lugar inocente, um lugar próprio para uma criança. A partir desse lugar, imagine como será o seu dia. Pergunte-se como é e como se sente a sua energia sexual e como se sente o seu corpo. Comece a explorar quaisquer sentimentos ou imagens que venham à sua mente. Imagine como é seguir sua energia a cada momento. Veja e sinta-a como se fosse real. Se vierem à tona pensamentos negativos, reconheça-os e deixe-os passar.

Quando sair da cama e se preparar para o dia, mantenha consigo um sentimento de novidade. Observe como seu corpo se sente, note como ele reage às pessoas que encontra durante o dia. Enquanto o dia vai passando, mantenha-se consciente de si mesmo, de seu corpo e de seus sentimentos sexuais. Se tiver um forte impulso sexual em relação a alguém, observe como se sente e que pensamentos está tendo (coisas como: "Farei alguma coisa com isso... Tenho de ter essa pessoa... ele é casado... eu sou casado... ela não satisfaz minhas expectativas... é jovem demais..."). Tente não apegar-se a nenhum desses pensamentos. Se puder, volte ao seu lugar de inocência e permaneça ali, consigo mesmo. Se escolher agir de acordo com os pensamentos e sentimentos que emergem, tenha consciência de estar agindo a partir desse lugar interior, confiando e seguindo a energia que estiver ali.

Como seguir a energia nos relacionamentos

Em geral, as pessoas querem saber como apoiar a expressão da sua energia interior nos relacionamentos. De que modo nos apoiamos quando percebemos que desejamos alguém sexualmente e a outra pessoa não nos deseja? O que fazer quando seguir a nossa energia talvez signifique arranjar outro companheiro, sendo que o nosso relacionamento é monógamo? Como nos apoiarmos quando seguir a nossa energia signifique não ter relações sexuais, embora o nosso parceiro deseje tê-las?

O medo é de que aquilo que queremos não seja o mesmo que o nosso parceiro ou os nossos amigos querem. Existe o medo de que confiar em nós mesmos signifique magoar alguém. Porém, não esqueça: você *pode* confiar em si e na sua energia sexual.

Não acredito que a energia do universo pudesse fazer algo para nos ferir ou aos outros. Por algum tempo, as pessoas poderão parecer magoadas; mas se você estiver realmente confiando e seguindo a sua energia interior, suas ações irão, na verdade, dar força às outras pessoas.

Se você quer ter relações sexuais e seu parceiro não (ou vice-versa), dê apoio e expresse os sentimentos que tiver. Então, seu parceiro responderá e os dois poderão chegar a um nível mais profundo de comunicação. Se o seu parceiro não quer ter relações sexuais, você deve usar isso como um espelho para examinar o que está acontecendo dentro de você. Pergunte-se o que está acontecendo com você interiormente. Continue indagando-se para ver o que fará em seguida. Isso é um exercício para confiar em si mesmo. Talvez você e o seu parceiro precisem conversar; talvez haja alguma mágoa ou raiva oculta; talvez você tenha a necessidade de ficar algum tempo a sós e ainda não o reconheceu. Sinta-se apoiado pela sua energia e continue a expressar o que sente, pois isso permitirá que ela flua com mais liberdade.

Esteja pronto para sentir uma forma diferente de sexualidade – a energia poderá levá-los simplesmente a sentar juntos num sofá, a deitar juntos na cama, a se abraçarem, a fazer massagens um no outro ou a qualquer outra coisa, que vocês normalmente não pensam como sendo sexo, mas que pode ser tão prazerosa quanto o sexo. Seja verdadeiro para com os seus sentimentos e as ações certas haverão de surgir.

As pessoas me perguntam muitas vezes o que fazer quando estão num relacionamento monógamo e se sentem atraídas por alguém. Como já mencionei no capítulo sobre relacionamentos, não existe uma resposta simples para esta pergunta. Normalmente, bloqueamos a energia, seja fechando-nos e ignorando que a atração existe, seja por rebeldia contra regras que impusemos a nós mesmos ou pela descoberta de que ainda estamos mais atraídos pela situação "proibida". Em nenhum desses casos estamos confiando na energia. Nessa situação, você precisa olhar mais profundamente para dentro de si mesmo, para saber o que realmente está sentindo. Será que você está tentando agir de maneira mais monógama do que realmente sente, por culpa ou por medo de perder o parceiro? Ou será que você está se afastando da oportunidade de se tornar mais próximo e íntimo do seu parceiro, procurando distrações em outros cantos? É inevitável que haja uma necessidade de mais honestidade e de compartilhar os sentimentos de todos os envolvidos num nível mais profundo.

Embora assustadora, pois pode levar à explosão emocional, esta situação oferece a oportunidade de ver com maior clareza a sua capacidade de se relacionar. Fique aberto para a possibilidade de que, se for completamente honesto, as coisas funcionarão de modo que todos obtenham aquilo que realmente desejam e aquilo de que verdadeiramente precisam. Novamente, você *talvez* descubra que uma atração por alguém o levará não à cama com essa pessoa, mas a alguma outra forma de relacionamento que acabará sendo totalmente satisfatória.

Como sustentar a paixão nos relacionamentos

Quando as pessoas já não querem mais dizer uma à outra como realmente se sentem, passa a existir uma indiferença nos relacionamentos. Quando as pessoas se apaixonam, elas querem conversar, porque ainda estão se conhecendo e ainda não se estabeleceu uma dependência. Mas, assim que isso acontece, muitas vezes paramos de compartilhar sentimentos verdadeiros por medo da perda.

A paixão não é algo que simplesmente desaparece. Ela nos deixa quando já não estamos abertos para os nossos sentimentos, e nos perdemos na tentativa de conquistar outra pessoa. Para sentir a paixão, em primeiro lugar, é preciso ser verdadeiro para consigo mesmo e, depois, honesto para com os outros.

A paixão na relação entre duas pessoas é a verdadeira intimidade entre ambos. À medida que você se transforma em um canal receptivo para os seus sentimentos, a paixão e o prazer passam a fluir em sua vida.

Meditação

Sente-se ou deite-se numa posição confortável. Feche os olhos e respire profundamente algumas vezes. A cada vez que exalar, relaxe mais o corpo. Depois, respire mais algumas vezes e a cada exalação, relaxe a sua mente.

Ao respirar, vá relaxando e contatando um espaço bem interior da sua consciência. Sinta a energia do universo pulsando ali dentro e movimentando-se por todo o seu corpo. Compreenda claramente que essa energia em sua expressão é sexual e apaixonada.

Sinta como se a sua expressão no mundo fosse a energia ardente do universo que flui através de você para os outros. Imagine-se expressando a sua paixão para o seu amado, para seus amigos, no seu trabalho, nos projetos criativos e em todo divertimento que tiver.

Perceba que a força que existe em você é uma força pura, viva, criativa e cheia de êxtase. Compreenda que você pode confiar na energia que se movimenta através de você e que expressar-se é muito seguro.

Exercício

Para eliminar todas as velhas idéias, medos, preconceitos e crenças negativas, sempre recomendo que se utilize um sistema por escrito. Verificando quais são as suas crenças negativas, você poderá tornar-se consciente de quando está agindo segundo o que elas determinam. Quanto mais consciente se tornar a respeito delas, menos poder elas terão em relação a você.

1. Faça uma lista de todas as suas crenças, pensamentos e medos negativos sobre sexo.
2. Feito isso, feche os olhos e veja-se a si mesmo entregando essas crenças ou medos negativos ao universo. Inspire profundamente e solte tudo.
3. Anote algumas afirmações para ajudá-lo a transformar essas idéias negativas. Veja alguns exemplos:

Idéia negativa	**Afirmação**
Não consigo encontrar a pessoa certa para amar.	Agora estou atraindo a pessoa perfeita para mim. Ou melhor: agora estou atraindo alguém apaixonado e divertido.
Não sinto prazer sexual.	Não há nada de errado em gostar de sexo. Eu mereço ter prazer sexual.
Não há tempo suficiente para o sexo. Estou sempre muito cansado.	Confio e apóio os meus sentimentos. Tenho tempo para mim. Comunico os meus sentimentos verdadeiros à pessoa amada.

Não posso confiar em mim quando se trata dos meus desejos sexuais.	Agora eu confio totalmente em mim. Confio e atuo segundo meus desejos sexuais.
Quero sexo demais.	Agora tenho confiança no meu ritmo sexual. Sintonizo-me naquilo que quero e atuo de acordo com essa sintonia.

18
O trabalho e o divertimento

Trabalho e divertimento são a mesma coisa. Quando você está seguindo a sua energia e fazendo sempre o que quer, a diferença entre trabalho e divertimento desaparece. O trabalho deixa de ser aquilo que você *tem de* fazer e o divertimento deixa de ser o que você *quer* fazer. Quando você faz aquilo de que gosta, você consegue trabalhar muito mais, produzir mais do que nunca – e tudo parecerá uma brincadeira.

As pessoas com quem trabalho, em grupo ou individualmente, estão sempre se perguntando o que "irão ser quando crescerem". O que é que irão fazer, qual será o seu verdadeiro objetivo? Digo-lhes que todos temos um objetivo verdadeiro e que cada um de nós é um canal para o universo. Quando seguimos a luz, tudo se torna divertido, criativo e passível de transformação. Podemos dar uma contribuição ao mundo sendo nós mesmos em todos os momentos. Não existem mais categorias muito rígidas em nossa vida, como "isso é trabalho, isso é divertimento". Tudo se combina no fluxo que segue o universo e, em conseqüência do novo canal aberto, o dinheiro também passa a fluir. O trabalho já não será mais algo que você tem de fazer para se manter. Em seu lugar, o prazer que vem do fato de expressar a si mesmo torna-se a maior recompensa. O dinheiro entra como parte natural do estar vivo. O trabalho e a necessidade de obter dinheiro já não estarão nem mais diretamente ligados um ao outro; você poderá perceber que é capaz de fazer qualquer coisa que tiver energia para fazer e que o dinheiro entra na sua vida. Não será mais uma questão de "faça isso e depois receba o dinheiro pelo que fez". As duas coisas funcionam simultaneamente, mas não necessariamente numa relação direta de causa e efeito.

No novo mundo você vai perceber que o trabalho e o verdadeiro objetivo da sua vida não podem estar para sempre amarrados como se fossem uma coisa só. Em termos de procurar uma carreira, o conceito do velho mundo dizia que, quando nos tornássemos adultos, teríamos de decidir que carreira seguir e depois ir em busca da instrução, dando os passos necessários para realizá-la. A carreira seria seguida pelo resto (ou quase pelo resto) de nossas vidas.

No novo mundo, muitos de nós somos canais para uma série de coisas que poderão vir juntas em fascinantes combinações. Talvez você ainda não tenha encontrado a sua carreira porque ela ainda não existe. Sua maneira pessoal e única de se expressar jamais existiu antes e jamais se repetirá outra vez. À medida que você procura seguir a energia que há em sua vida, ela irá levá-lo em muitas direções. Você começará a se expressar de maneira muito diferente, que começará a sintetizar-se de alguma maneira surpreendente, interessante e muito criativa. Você já não poderá dizer: "Eu sou um escritor (ou bombeiro, ou professor, ou dona-de-casa)." Você talvez seja uma combinação de tudo isso. Estará fazendo o que gosta, aquilo que sabe fazer bem, o que chega a você facilmente e que tem para você algum elemento de desafio e interesse especial. Seja o que for que fizer, sentir-se-á satisfeito e realizado. Já não será mais uma questão de fazer coisas para obter uma recompensa posterior: "Trabalharei duro agora para conseguir um emprego melhor depois. Trabalharei duro agora para poder me aposentar e gozar a vida. Trabalharei duro agora para depois ter muito dinheiro e tempo para tirar férias nas quais possa me divertir." O que conta é a realização daquilo que você está fazendo neste exato momento. Sendo um canal, tudo o que você faz torna-se uma contribuição, e mesmo as coisas mais simples têm um significado.

É a energia do universo passando por nós que transforma e não as coisas que fazemos. Quando escrevo um livro que tem uma determinada mensagem, é a energia que influencia as pessoas. É a energia do universo que passa por mim e se liga aos níveis mais profundos de consciência do leitor. As palavras e idéias são apenas um detalhe. São coisas que permitem que nossas mentes compreendam o que já mudou. Não é muito importante que eu escreva um livro. O importante é que eu me expressei, abri o meu canal e permiti que a energia criativa fluísse através de mim. Essa energia criativa agora está entrando em outras pessoas e coisas nesse mundo. Tive o prazer de ter essa energia fluindo através de mim e os outros tiveram a alegria de receber essa energia. Isso é a experiência da transformação.

Se você estiver lavando pratos, dando uma caminhada ou construindo uma casa e fazendo isso com a sensação de estar exatamente onde gostaria de estar e fazendo o que gostaria de fazer, esta realização e este prazer que você sente serão sentidos por todos os que estiverem à sua volta. Se você estiver construindo uma casa e alguém passa e o vê fazendo isso, essa pessoa sentirá a influência da plenitude disso que você faz. A vida dessa pessoa será transformada no grau em que ela estiver pronta para receber a influência da energia. Se você entra numa sala, sentindo a própria vivacidade, sabendo quem é, sabendo que é um canal e expressando-se da maneira que lhe pareça certa, todos os que estiverem na sala serão transformados. Mesmo que as pessoas não o reconheçam ou não saibam nada disso conscientemente, você poderá ver o resultado direto do seu canal em funcionamento. Terá a prova disso observando a mudança que ocorre nos outros. Esta é uma experiência muito interessante e incrivelmente gratificante.

Você pode ver que já não se trata mais de se dedicar ou não a uma determinada coisa, embora possa ser levado a dar atenção à construção de estruturas num setor determinado. Você poderá optar por aprender determinadas habilidades que utilizará para permitir que o seu canal funcione da maneira que ele deseja funcionar. Se assim o fizer, tudo se processará de modo fácil e natural. O aprendizado será algo tão divertido quanto o ato de fazer. Em outras palavras, já não é mais necessário sacrificar-se agora para que no futuro possa ter o que deseja. O processo de aprendizagem será muito divertido, cheio de alegria e de interesse. Você irá senti-lo como sendo exatamente algo que deseja fazer naquele exato momento. Os exercícios, o aprendizado, ir para a escola ou para a universidade –

tudo isso pode ser divertido e gratificante quando se segue a orientação da intuição.

Por outro lado, o trabalho que você faz será como um aprendizado. Por exemplo, eu organizo seminários não porque tenha dominado a informação, porque eu seja um mestre e você o aluno, mas porque eu gosto de me compartilhar desta maneira. Este compartilhar aprofunda o meu aprendizado. Não existe realmente diferença entre aprender e ensinar, assim como não existe diferença entre trabalho e divertimento. Tudo começa a se mesclar numa experiência totalmente integrada e equilibrada.

A maioria das pessoas tem, pelo menos bem no fundo da consciência, uma idéia sobre aquilo que gostariam de fazer. Mas essa impressão em geral está tão reprimida, que só é sentida na forma de alguma fantasia nada prática, algo que você jamais poderia fazer. Sempre estimulo as pessoas a entrar em contato com essas fantasias. Observe e examine, explore inteiramente a fantasia mais inacreditável daquilo que você gostaria de ser e daquilo que gostaria de estar fazendo. Existe verdade nesse desejo. Mesmo que pareça impossível, há pelo menos um grão de verdade na imagem. Ela está lhe dizendo algo sobre o que você realmente é e sobre o que você gostaria de estar fazendo.

Suas fantasias podem lhe dizer como é que você realmente pretende se expressar. Descobri muitas vezes que as pessoas sabem muito bem o que gostariam de fazer, embora assumam uma carreira muito diferente desse desejo. Às vezes elas vão para o lado oposto, achando que é mais fácil ou que obterão a aprovação dos pais ou do mundo. Imaginam que é impossível fazer o que realmente querem e por isso acham que podem arranjar-se com qualquer outra coisa que apareça. Eu estimulo as pessoas a se arriscarem a explorar as coisas que realmente lhes interessa. Aqui vão alguns exemplos de pessoas com quem trabalhei e como elas examinaram e descobriram seu verdadeiro objetivo:

1. Uma brilhante e talentosa mulher que conheço esteve trabalhando durante muitos anos com gente doente e às portas da morte. Embora fosse uma enfermeira e tivesse grandes poderes de cura, para ela ficou muito evidente que precisava estar onde pudesse expressar-se de maneira mais criativa. Com algum estímulo, ela passou a

trabalhar menos dias como enfermeira e começou a dar seminários e a aconselhar pessoas. Fazendo isso, ela se sente mais realizada e os que estão à sua volta também.

2. Joseph, seguindo a tradição da família, entrou no negócio com o pai e os irmãos. Era muito bem sucedido no ramo imobiliário e como empreiteiro. Acontece que ele sabia que havia algo mais que gostaria de fazer na vida. Depois de receber muito estímulo do grupo num dos meus seminários, ele admitiu que gostaria de trabalhar com arte, mas sabia que a família não iria gostar nada da idéia. O que ele mais queria era dançar. O primeiro passo foi admitir para si mesmo o que gostaria de fazer. Depois ele conseguiu reunir coragem para tomar aulas de dança. Tinha muito talento e logo chamou a atenção do professor, o que incentivou a explorar essa forma de expressão artística. Ao dar apoio a seus próprios desejos, ele acabou descobrindo que a família também o apoiava.

3. Uma grande amiga minha teve três filhos, não teve nenhuma instrução formal e vivia às custas da pensão do governo. Sua vontade era entrar para o mundo dos negócios. Intuitivamente, ela sabia que iria lidar com grandes importâncias de dinheiro – mas, levando-se em conta toda a sua situação, isso não fazia sentido algum. Entretanto, ela resolveu explorar algumas possibilidades no centro financeiro de San Francisco. Foi imediatamente contratada como recepcionista em uma firma e logo depois encontrou a *baby-sitter* perfeita para seus filhos. De recepcionista, ela passou a assistente da administração e continuou subindo para níveis mais altos de capacidades e responsabilidades. Ela está indo firmemente na direção da sua meta de tornar-se corretora de ações. Adora o que faz e os filhos também estão se desenvolvendo maravilhosamente.

4. Certa mulher, que veio a um seminário que dei há pouco tempo, disse que havia sido uma pianista talentosa, com esperança de se tornar concertista. Depois, por inúmeras razões, a mais importante das quais era a falta de confiança em si mesma, ela abandonou esse sonho. Começou a trabalhar num escritório e descobriu que, entre os filhos e o trabalho, sobrava pouco tempo para a música. Depois de quinze anos, achava que era tarde demais para voltar ao piano. Achava que o tempo que havia perdido sem tocar a deixara sem a menor esperança de ser uma boa pianista. Apesar de todas as dú-

vidas, nós a encorajamos a pelo menos começar a tocar novamente. Garanti-lhe que, se ela estivesse fazendo aquilo de que gostava, sua técnica voltaria muito facilmente. Quando concordou com a idéia, começou a abrir-se para si mesma. A impressão de desesperança foi substituída por uma sensação de força renovada. Mais tarde, ligou para dizer que estava tocando piano e que estava adorando. Um amigo pedira que fosse tocar para acompanhamento de um coral e ela se sentia animadíssima com as possibilidades musicais que se abriam para ela.

Meditação

Sente-se ou deite-se numa posição confortável. Feche os olhos e relaxe. Respire várias vezes lenta e profundamente, relaxando mais o corpo a cada respiração. Continue respirando algumas vezes mais e relaxe a mente. Solte-se e relaxe todas as tensões do seu corpo. Se desejar, imagine que o seu corpo está quase afundando no chão, na cama ou na cadeira.

Desse lugar muito relaxado dentro de si mesmo, imagine que está fazendo exatamente o que quer na vida. Você tem uma carreira fabulosa, a cujo respeito sempre fantasiou e está recebendo enormes quantias de dinheiro com ela.

Você se sente relaxado, energizado, criativo e forte. Você é muito bem sucedido no que faz, porque faz exatamente o que gosta de fazer.

Você está seguindo a sua intuição em todos os momentos e está sendo ricamente recompensado por isso.

Exercícios

1. Siga quaisquer impulsos que você tenha no que diz respeito aos verdadeiros desejos sobre trabalho e divertimento. Mesmo que pareça algo totalmente fora da realidade, siga esse impulso. Por exemplo, se você está com sessenta e cinco anos de idade e sempre quis ser dançarino, matricule-se num curso de balé e observe – ou, se quiser, faça o curso. Veja algum balé e imagine que você é um

dançarino. Quando estiver sozinho em casa, coloque alguma música e dance. Isso fará com que você entre em contato com aquela parte sua que deseja se expressar dessa maneira. Você poderá terminar dançando muito mais do que havia pensado que fosse possível e poderá ser levado a outras formas de expressão tão boas quanto a dança.

2. Faça uma lista das fantasias que você alimenta sobre trabalho, carreira ou criatividade, e ao lado faça uma lista das ações que planeja para explorar essas fantasias.

3. Escreva uma "cena ideal" – uma descrição do seu emprego ou carreira perfeitos, exatamente como gostaria que fossem. Escreva-a no presente, como se já fosse realidade. Coloque mais descrições e bastante detalhes para que pareça muito real. Guarde em algum lugar e volte a olhar as listas alguns meses, ou mesmo um ou dois anos depois. A menos que sua fantasia tenha mudado completamente, existem grandes possibilidades de que você descubra que fez um considerável progresso na direção do seu sonho.

19
O dinheiro

O dinheiro é um símbolo da nossa energia criativa. Inventamos um sistema em que usamos pedaços de papel ou metal para representar certa unidade de energia criativa. Você ganha dinheiro usando sua energia e depois troca comigo este dinheiro pela energia que eu coloco para escrever este livro ou orientar um seminário – e assim por diante. Como a energia criativa do universo em todos nós não tem limites e está sempre disponível, isso potencialmente acontece da mesma forma com o dinheiro. Quanto mais desejamos e mais somos capazes de estar abertos para o universo, mais dinheiro teremos. A falta do dinheiro é apenas um espelho dos bloqueios de energia que existem dentro de nós mesmos.

A sua capacidade de ganhar e de gastar dinheiro com abundância e sabedoria baseia-se na sua capacidade de ser um canal para o universo. Quanto mais forte e mais aberto for o seu canal, mais energia fluirá por ele. Quanto mais você desejar confiar em si e assumir os riscos de seguir sua orientação interior, mais dinheiro terá. O Universo pagará para que você seja você mesmo e para que faça o que realmente adora fazer!

O dinheiro no velho mundo

O velho mundo baseia-se no nosso apego ao mundo físico exterior. Procuramos a satisfação através das coisas exteriores. Como acreditamos que a sobrevivência depende da obtenção de coisas, somos levados a pensar que a realização pode ser encontrada na riqueza material.

No velho mundo se pode construir uma sólida estrutura financeira e ganhar montanhas de dinheiro aprendendo a agir com eficiência (o velho masculino). No entanto, como nossas ações não se baseiam na orientação do universo que vem do feminino interior, a construção da estrutura financeira envolverá medo e luta e pagaremos um preço muito alto pelo dinheiro. Você pensa que o dinheiro em si é importante: "Se eu tiver bastante dinheiro, posso fazer tais coisas e serei muito feliz", ou "Se eu tiver bastante dinheiro, me sentirei muito satisfeito comigo e serei feliz", ou ainda "As outras pessoas gostarão de mim se eu tiver muito dinheiro e isso me deixará muito feliz". Deste ponto de vista, o dinheiro é visto como a coisa mais importante, e enquanto ele estiver sendo valorizado dessa forma, se transformará num problema.

Se você tem muito pouco dinheiro, está sempre lutando para conseguir mais e sempre com medo de que não haja o suficiente. Existe sempre aquela dor terrível lá dentro de você, dizendo que não tem bastante daquilo que necessita. Por outro lado, se você tem muito dinheiro, é doloroso, porque estará sempre com medo de perdê-lo. Você jamais consegue ter o dinheiro suficiente que lhe garanta que não terá medo.

As pessoas que têm pouco dinheiro raramente percebem que os que têm muito dinheiro também estão assustados. Basicamente, são inseguros porque jamais sabem se perderão ou não dinheiro. Poderão surgir circunstâncias que estejam fora de controle dessas pessoas – elas podem fazer um investimento bobo ou alguém roubar-lhes o dinheiro. Se a segurança se basear no fato de ter dinheiro, não importa se muito ou pouco, você estará com medo.

Se não percebemos que o dinheiro é um símbolo de energia infinita e achamos que existe apenas uma quantidade limitada dessa energia no mundo, estamos diante de duas opções: podemos optar por ter muito dinheiro e sentir culpa, ou optar por não tê-lo e nos indispormos com aqueles que têm mais. Se você opta por ter dinheiro, viverá sabendo que outros têm menos do que você. Poderá ter medo de que o fato de ter mais faça com que os outros tenham menos.

Você poderá lidar com a culpa tentando negar ou ignorar este sentimento, ou aliviar a consciência ajudando os menos afortunados.

Por outro lado, pode optar por dizer: "Não carregarei esta culpa. Não estou pegando mais do que a minha parte. De qualquer maneira, não me preocupo muito com o dinheiro. Portanto, manterei o que tenho no mínimo necessário. Procurarei ter a certeza de não estar tirando de alguém." O problema com esta atitude é que você acaba se sentindo deprimido. Voce vê todas as coisas maravilhosas que gostaria de ter e usufruir mas não consegue. Vê outras pessoas com mais do que a parte que deviam ter do dinheiro e se indispõe com elas. Essencialmente, dentro desse quadro do velho mundo, temos de optar pela culpa ou pelo ressentimento.

A estrutura do velho mundo exige que façamos coisas que estão fora do alcance da força do nosso ego, em vez de permitir que o universo o faça. Achamos que temos realmente de trabalhar duro para obter o que desejamos – a ética do trabalho que diz que devemos trabalhar duro, fazer sacrifício e esforços. A maioria das pessoas já incorporou isso muito profundamente e não concorda em ter o sucesso financeiro ou qualquer outra espécie de sucesso – a não ser através de um trabalho duro, de esforços e de sacrifícios. Se você está indo muito bem na vida e ganhando dinheiro, também está pagando um preço emocional e, muitas vezes, físico. É muito comum as pessoas chegarem ao ponto de ficarem doentes ou de morrerem. Elas lutam e se sacrificam emocionalmente e, no final, mesmo que tenham conseguido sucesso, ainda se sentem deprimidas e vazias.

Outras pessoas se recusam de qualquer maneira a sair atrás do dinheiro. "Veja só a que isso leva: esforço, sacrifício, dor e privação de si mesmo; por isso, não vou mexer com dinheiro. Vivo com o mínimo absoluto de dinheiro a minha vidinha." Em geral, pessoas mais sensíveis e com inclinações espirituais escolhem este caminho, para que possam concentrar-se em coisas mais "cheias de significado". O problema com isso é que você na verdade está se privando de lidar com uma das coisas mais interessantes e bonitas que há na vida. Se você nega o dinheiro, também está negando uma grande parte da energia do universo e a maneira como funciona o mundo. As pessoas que escolhem o caminho da negação, em geral não sabem lidar com dinheiro e se recusam a aprender qualquer coisa a respeito.

O dinheiro no novo mundo

O novo mundo se baseia na confiança do universo que existe dentro de nós. Reconhecemos que a energia e a inteligência criativa do universo são a fonte essencial de tudo. Uma vez ligados a isso e entregando-nos a essa energia, tudo nos pertence. O vazio é preenchido a partir do nosso interior.

Percebemos, então, que o dinheiro é um reflexo da energia que passa pelo nosso canal. *Quanto mais aprendemos a agir no mundo, baseados na confiança na nossa intuição, mais forte será o nosso canal e mais dinheiro teremos.* O dinheiro se baseia na nossa capacidade de ouvir nossa orientação interior e de nos arriscarmos a agir segundo ela. Quando o seu ego pára de tentar controlar e você aprende a ouvir o universo e a agir segundo o que ele diz, o dinheiro aparece cada vez mais. Ele passa a fluir de maneira fácil, sem esforços e cheia de prazer, porque não há sacrifício algum envolvido nesse processo. Você já não está mais apegado a ele. Em vez disso, consegue sentir o prazer de aprender a seguir a energia do universo. O dinheiro é apenas um acréscimo em todo esse processo.

Você sabe que o dinheiro não é realmente seu – ele pertence ao universo; você é apenas um guardião ou administrador. Você só o utiliza quando é orientado pelo universo através da sua própria intuição. Não há o receio da perda, porque você sabe que sempre há alguém cuidando para que isso não aconteça. O dinheiro poderá ir ou vir, mas você não perde o seu prazer e satisfação. Quando você se sente assim seguro e livre, atrai cada vez mais dinheiro, de maneira que será sempre levado a aprofundar sua confiança até níveis mais intensos e com uma participação maior. Em última análise, como canais, muitas pessoas serão levadas a lidar com grandes quantias de dinheiro a partir de um compromisso com a energia superior. Esta é uma das maneiras pelas quais a força do universo pode ser dirigida com eficácia para transformar o mundo.

O ativo e o receptivo

Existem os aspectos ativo e receptivo para o processo da canalização do dinheiro, como em qualquer outro processo criativo. A maneira ativa ou masculina de fazer dinheiro é sair atrás de alguma coisa. Você vê algo que deseja e vai atrás. A maneira feminina ou receptiva de fazer dinheiro é atrair aquilo que você quer para você.

Somos capazes de fazer essas duas coisas. Precisamos liberar a energia necessária para atingir um objetivo e agir sem medo nesse sentido. Também precisamos cuidar de nos alimentar, de nos apreciar sintonizando-nos com nosso eu interior para que possamos atrair e receber aquilo que desejamos. Muitas pessoas desenvolvem apenas um desses aspectos. Elas ou sabem sair atrás das coisas ou não conseguem atraí-las para si, ou sabem atraí-las mas têm medo de sair atrás delas. É preciso, portanto, que haja um equilíbrio. Você talvez precise aprender a receber o que lhe é dado: o amor, a valorização pessoal e a energia que flui para você. Ou então talvez precise deixar que o fluxo da sua energia flua para o mundo, usando-o como um canal. Assim a energia não fica bloqueada em nenhuma das pontas.

No nível prático, isto significa que você tem de *querer* assumir alguns riscos no setor do trabalho e do dinheiro. Se você apenas faz aquilo que acha que *deveria* fazer para ganhar dinheiro e se sentir seguro, não irá dar ouvidos à voz intuitiva que lhe diz o que realmente *precisa* fazer.

Isso pode ser muito assustador quando estão em jogo o seu emprego e o seu dinheiro. Em geral, as pessoas querem saber: "E se minha intuição me disser para não ir trabalhar um dia? O que é que faço? Perco o meu emprego?" Se tirar um dia de folga no trabalho parece arriscado demais, talvez não seja a melhor opção para você. Você talvez tenha a necessidade de se sentir mais seguro seguindo os seus impulsos em pequenas doses, pelo menos no início. Poderá ir até o trabalho e tirar apenas meio dia de folga, ou fazer o plano de um fim de semana de três dias. Mas, um dia você acorda sentindo que simplesmente não está com vontade de ir para o trabalho, continua com essa idéia e sente-se bem com ela. Em geral, quando o meu ser interior me diz para fazer isso, é porque preciso cuidar melhor de mim mesma, é porque preciso de paz e tranqüilidade, de um tempo criativo para deixar que a inspiração se faça presente, ou de um tempo para sentir velhos sentimentos se agitando lá dentro – sentimentos esses que precisam ser sentidos e liberados.

Se você assume o risco de seguir seus impulsos, talvez algumas horas ou alguns dias depois descubra que sua energia foi mesmo renovada. Será capaz de, ao voltar atrás, fazer o que deve ser feito na metade do tempo. Irá fazê-lo de maneira muito mais inspirada e criativa. Qualquer coisa pode acontecer quando você se arrisca e confia em si mesmo. Ficando em casa, você poderá receber um telefonema de alguém oferecendo-lhe um emprego melhor, que paga muito mais (como aconteceu a um amigo meu). Você poderá ter uma inspiração criativa para ir visitar alguém que lhe dará uma divertida e próspera oportunidade, ou poderá ter uma inspiração para visitar alguém que o leve a uma grande aventura. Mas se você detesta o seu emprego, não conseguirá que sua energia se renove. Como a sua energia estará bloqueada, você também continuará se sentindo bloqueado financeiramente. Mais tarde, você deixará o emprego porque não agüenta mais ficar preso num lugar assim por mais tempo.

Essencialmente, toda a questão do dinheiro é fazer sempre o que você realmente deseja fazer. O universo irá recompensá-lo por assumir riscos em seu nome. Em todo caso, é importante que os riscos que você assume sejam proporcionais ao nível da estrutura que você está construindo. Em outras palavras: se você mal começou a aprender a confiar e a seguir sua intuição, é provável que não tenha vontade de fazer um negócio de um milhão de dólares por causa de um palpite. É provável que não tenha a menor vontade de saltar de um edifício na esperança de conseguir voar. É importante começar a construir primeiro as pequenas coisas. Esforce-se por seguir a sua intuição nas coisas do dia-a-dia. Diga não, mesmo que esteja se sentindo pressionado a dizer sim. Faça aquilo que você gosta de fazer, mesmo sem saber por quê. Faça-o por impulso. Dê aquele telefonema. Tire aquele dia de folga no trabalho. Pense em coisas que gosta de fazer e faça. Isso irá reforçá-lo até que chegue ao ponto em que pode dar o grande salto.

O equilíbrio

Uma vez compreendido o processo fundamental de aprender a seguir sua intuição e agir de acordo com ela, você já tem base para a canalização do dinheiro. Existem ainda alguns aspectos mais específicos no relacionamento com o dinheiro que é importante conhecer.

O equilíbrio é uma característica importante na construção da estrutura do seu canal. Se você foi extremado numa direção, talvez tenha de ir até o extremo na outra direção para integrar e equilibrar os dois aspectos de tudo. Por exemplo, se você foi muito descuidado e despreocupado com o dinheiro, ou se foi uma pessoa que negou a existência ou a importância dele na sua vida, talvez tenha de construir estruturas adequadas à situação. Essas estruturas incluem: aprender a tomar conta do seu talão de cheques, distribuir o dinheiro que recebe através de um planejamento orçamentário e compreender as regras que regem o funcionamento do dinheiro no mundo. Você descobrirá que essas coisas são fascinantes e interessantes e não criarão mais obstáculos ao fluxo de energia espiritual na sua vida.

As pessoas que não entendem muito de dinheiro, em geral optam por evitar meios e medidas mais estruturadas pois acham que as regras, os regulamentos e outros detalhes tiram a espontaneidade e a magia da vida. Temem que seu tempo seja gasto com a mente racional, em vez de seguir um fluxo mais espontâneo. Se você tem esse medo, sintonize-se e peça ao universo uma orientação. Você desejará fazer isso de modo a sentir-se bem. Talvez seja útil contratar alguém que lhe mostre como organizar suas finanças. Isso não precisa ser um processo doloroso. Você descobrirá que é algo que lhe dará energia e apoio, em vez de dores e aborrecimentos.

As pessoas que já lidam com o dinheiro de maneira bastante estruturada talvez tenham de soltar e relaxar essa estrutura. É o momento de parar de seguir as regras e permitir que o aspecto inspirado no espírito do dinheiro trabalhe na sua vida. Confie que a sua intuição irá guiá-lo e tenha a coragem de assumir mais riscos para fazer as coisas de maneira diferente da habitual.

Da mesma forma, se você é uma pessoa que economizou o seu dinheiro e foi muito cuidadoso a respeito de como gastá-lo, precisa aprender a gastar mais impulsivamente seguindo a sua intuição. Gaste baseando-se em um sentimento intuitivo visceral. Aprenda a seguir esses impulsos e descobrirá que não vai se arruinar por isso. Na verdade, poderá até criar um fluxo maior de dinheiro em sua vida, liberando-se para dar mais de acordo com a sua intuição.

Se você foi um perdulário e sempre gastou mais do que realmente possui, é provável que tenha de planejar melhor e aprender a fazer um orçamento. Não esqueça de fazê-lo segundo um sentimento interior. Se estiver disposto a isso, sua intuição dirá: "Ei, aprenda alguma coisa sobre planejamento. Aprenda um pouco sobre orçamentos." Ela irá apoiá-lo e lhe dará uma ajuda. Se seguir a sua intuição nisso, será levado a pessoas que podem mostrar-lhe como fazer o planejamento e isso será uma coisa muito interessante. Isso também servirá de apoio a você como canal das energias do universo.

A concentração

Uma outra coisa importante a saber sobre como funciona o dinheiro é que ele sempre fluirá para as situações que você tiver criado na sua vida. Como ele é energia, ele será atraído para o que você precisa, deseja ou imagina. Se você, com o dinheiro, sempre viveu ao nível da sobrevivência, tendo apenas o suficiente para cuidar das suas necessidades básicas, é para aí que o seu dinheiro irá. Se você começar a atrair mais dinheiro para a sua vida, talvez tenha a tendência de ampliar suas necessidades básicas e continuar ganhando apenas o suficiente para aquilo que precisa.

Foi o que aconteceu comigo durante muito tempo. Eu tinha um programa subconsciente que dizia: "Eu só posso ter o dinheiro de que preciso. Não está certo ter mais do que o necessário para mim." Criei mais necessidades – necessidades que não eram lá muito compensadoras. Meu carro quebrava e eu tinha uma conta altíssima de consertos, ou o meu gato adoecia e lá vinha uma conta alta do veterinário. Qualquer dinheiro extra que entrasse ia direto para alguma emergência ou para uma necessidade básica. Ainda não sobrava nada para o divertimento criativo ou para algum luxo maior.

Descobri que eu tinha de fazer um orçamento que incluísse o que eu queria e também aquilo de que eu precisava. Comecei num nível bem razoável: "Eu gostaria de comprar pelo menos uma peça de roupa por mês, que fosse alegre ou mais luxuosa. Também gostaria de ter alguma atividade divertida." Incluía isto no meu orçamento e o dinheiro para essas coisas começava a entrar. Esta é a força do orçamento. Um orçamento é uma espécie de projeto. Se você cria uma lista ou desenha na sua cabeça um quadro do que deseja ter na sua vida, estará criando o dinheiro necessário. Você pode simplesmente começar a se expandir aos poucos.

Minha história com o dinheiro

Na maior parte da minha vida adulta eu tinha muito pouco dinheiro. Jamais me concentrava muito no dinheiro, não estava especialmente interessada nele. Basicamente, eu fazia o que tinha de fazer para pagar o aluguel e as contas, mas colocava a maior parte do meu tempo e da minha atenção na minha educação e instrução e na minha busca por uma consciência mais elevada e uma expansão criativa.

Fazia sempre o que fosse necessário para obter o dinheiro – projetos criativos, trabalhos domésticos e outros biscates, até o meu próprio negócio. Apenas uma vez em toda a minha vida tive um emprego que ia das nove às cinco – por seis meses!

Eu estava acostumada a viver no limite, sem muito senso de onde vinha o meu dinheiro. Nestes anos aprendi a confiar em que, de alguma forma, ele apareceria. Às vezes eu ia ao extremo de ficar com o meu último dólar e então, de alguma forma, entrava mais algum dinheiro. Sempre havia algo ou alguém que tomava conta de mim.

Depois, aos poucos, quando comecei a usar mais este método, aprendendo a confiar na minha intuição e a agir segundo ela, aprendendo a ouvir a minha orientação interior e a me arriscar a sair para o mundo, comecei a ganhar mais dinheiro. Adotei um estilo de vida mais rico, que continuou até o ponto em que eu realmente estava conseguindo fazer bastante dinheiro e vivendo num apartamento muito bonito, fazendo a maioria das coisas que desejava fazer. Cheguei a contar com uma determinada quantidade de dinheiro, embora jamais fosse uma coisa muito segura. Eu continuava a viver mês a mês, mas o dinheiro parecia continuar fluindo. Eu afirmava sempre a confiança que tinha no universo que tomava conta de mim, e tentava seguir sua orientação.

Mas chegou um momento, subitamente, em que fiquei sem dinheiro. Aconteceram algumas coisas inesperadas e fiquei na mão, de repente. Paguei o meu aluguel, as minhas contas, dei uma olhada no talão de cheques – e não havia sobrado nada. Eu não tinha economias ou outros recursos a que recorrer. Foi uma experiência bastante assustadora, porque na época eu já havia acostumado a ter uma determinada quantia de dinheiro.

O que me deixa impressionada com essa experiência foi que eu tive apenas cinco minutos de medo. Pensei: "Oh, meu Deus, o que faço?" Depois, me senti totalmente calma. Tive de passar por aqueles últimos cinco minutos de medo e, então, foi como se eu não tivesse mais medo de não ter dinheiro. Eu sabia que tudo ia dar certo.

O importante em tudo isso é que eu sabia que estaria disposta a fazer qualquer coisa que o universo me pedisse para fazer. Lembro-me de ter pensado: "Bom, eu gosto deste apartamento, mas poderia sair dele. Gosto de todas as coisas que tenho, mas poderia deixá-las. Se o universo quiser que eu vá morar numa barraca no quintal de alguém, eu vou. É provável que seja maravilhoso."

Eu tinha um incrível sentimento de confiança e sabia que nenhuma das minhas coisas era tão importante assim e que eu não iria perder nada. O que quer que eu fizesse em seguida, mesmo que fosse algo totalmente diferente, também seria maravilhoso. Algo ou alguém estaria olhando por mim. Isto não era apenas um conhecimento intelectual, porque eu já sabia intelectualmente disso há muito tempo. Passar por aqueles cinco minutos de medo me deixou com um sentimento de coragem. Emocionalmente, eu sabia que estava muito bem, e essa foi uma experiência muito profunda.

Terminei cortando um pouco das minhas despesas e reduzindo meu estilo de vida. Não foi nada ruim e não fiquei me sentindo privada de nada. Na verdade, foi uma ótima disciplina por algum tempo. Tudo me era providenciado. O dinheiro entrava para cobrir minhas despesas, e dava-me uma sensação de alívio e eu sabia que havia chegado totalmente ao nível em que estava a minha forma. Eu não estava de maneira alguma à frente de mim mesma e daí por diante foi como se eu tivesse chegado à Terra e estivesse construindo a partir de uma base sólida. Naquele instante eu soube que estava apoiada em uma base muito forte de confiança total no universo. A partir de então, eu sabia que o fluxo do dinheiro em minha vida continuaria se expandindo e que eu jamais voltaria ao ponto de não tê-lo.

Depois que isso aconteceu, há cerca de uns dois anos, tem havido cada vez mais dinheiro e riqueza na minha vida. Agora estou aprendendo realmente a gostar disso e a permitir que minha orientação interior me diga o que devo fazer em todos os momentos. Passei para um novo nível de negócios e de finanças com os quais eu jamais tinha me envolvido antes. Comecei a reconhecer a necessidade de lidar com essas coisas sob a orientação *total* do universo. Eu havia aprendido muito bem a seguir o universo num certo nível de existência, mas o novo desafio era aprender a confiar num nível mais amplo, onde as jogadas eram mais altas.

Diante desse novo nível de prosperidade, à primeira vista eu me sentia bastante ignorante e muito desamparada. Sabia que precisava de ajuda; por isso pedi ao universo que me enviasse os canais certos que me ensinassem e orientassem nessa área. Depois de entrevistar uma série de diferentes consultores financeiros, fui levada para um contador e um administrador de negócios que eram exatamente as pessoas certas para mim; eles me ajudaram a aprender o que eu precisava saber.

Quanto eu estava no Havaí dando alguns seminários, tive a oportunidade de comprar um pedaço de terra e, ao mesmo tempo, aprender a confiar na minha intuição numa dimensão mais ampla. Por muito tempo eu havia pensado que seria maravilhoso adquirir um pedaço de terra e criar um centro de treinamento. O Havaí me pareceu um lugar excelente para isso, mas eu não estava procurando nada ativamente. Na verdade, eu encarava essa idéia como um projeto para o futuro. Mas um lindo pedaço de terra literalmente caiu no meu colo. Alguém me falou dele, fui olhar e fiquei apaixonada. Estava à venda por um ótimo preço.

Intelectualmente, eu sabia que não estava no momento certo para fazer isso mas, intuitivamente, sabia que esse era o passo certo. Sendo assim, vi-me dizendo à minha energia superior: "Tudo bem, vou sair atrás disso porque estou sentindo que há a presença da energia nesse assunto. Se você não quiser que eu o faça e se esta não é a hora certa, pode bloquear tudo e me sabotar."

Fiquei esperando que a compra fosse bloqueada, porque realmente estava achando que não estava no momento certo. Mas a coisa foi simplesmente se desdobrando. Tudo parecia acontecer miraculosamente para me levar naquela direção. Quando cheguei perto do instante de tomar a decisão final, ainda me perguntava: "Será que devo fazer isso?" Meu administrador me advertira de que não seria um passo muito prático a dar naquela hora. Embora normalmente me dê muito apoio, ele estava espelhando aquela parte de mim que duvidava da validade desse impulso. Mesmo achando que não era uma boa idéia, alguma coisa lá dentro continuava dizendo: "Vá em frente."

Eu sabia que não era muito lógico, mas fui atrás da minha intuição. Comprei o terreno e tudo continuou muito bem. Depois de algum tempo, senti uma espécie de euforia. Eu sabia que dera um salto para um nível inteiramente novo de confiança em mim mesma e que desejava ser um canal e seguir adiante com a energia.

Meditação

Sente-se ou deite-se numa posição confortável. Feche os olhos e comece respirando de maneira fácil e natural. A cada respiração você vai ficando mais profundamente relaxado.

Comece a observar como está se sentindo. Como se sente emocionalmente? Como está o seu corpo? Observe a energia em seu corpo. Como você a sente? Veja-se absorvendo mais energia a cada respiração. Você está energizado e cheio de vida.

Comece a imaginar essa energia como dinheiro. Veja o dinheiro fluindo por todo o seu corpo. À medida que você se abre para a sua própria energia, o faz, também, para a riqueza. Existe um suprimento inesgotável de dinheiro à sua disposição.

Imagine todo o dinheiro que você pode desejar. Veja-o à sua frente, toque nele, brinque com ele. Tome algum tempo para estar com o dinheiro que há na sua vida. Veja o dinheiro vindo para você.

Tome consciência de que você atrai o dinheiro e que ele flui com muita facilidade para você.

Veja-se rodeado por tudo o que o dinheiro pode comprar. Veja beleza e criatividade na sua vida. Veja as suas roupas bonitas, suas casas e seus carros e o maravilhoso estilo de vida que você leva. Veja as maneiras criativas e divertidas como você gasta o seu dinheiro. Conscientize-se de que o dinheiro flui livremente para você e de que você o gasta com a mesma facilidade.

Sinta-se aberto para a energia que existe no seu corpo e para o inesgotável suprimento de dinheiro que está à sua disposição.

Exercício

A falta de dinheiro apenas espelha os bloqueios de energia que existem em você. Escreva no papel todas as maneiras com que você limita seus desejos e sua criatividade. Porque é que você não está fazendo o que quer?

Veja alguns exemplos disso:

1. Estou fazendo um trabalho administrativo num escritório, quando eu gostaria muito mais de trabalhar com crianças.

2. Eu quero meditar, mas nunca tenho tempo.

3. Eu queria explorar mais a minha arte, mas não tenho tempo; tenho de ganhar a vida.

4. Quero contar a minha mãe (ao meu amigo, namorado ou companheiro) como estou me sentindo, mas tenho medo de magoá-la.

Agora imagine-se fazendo exatamente o que deseja em cada uma dessas áreas.

20
A saúde

Nosso corpo é a nossa principal criação, é o veículo que escolhemos para nos expressarmos no mundo físico. Ele é como se fosse um pedaço de barro semiformado que se molda para expressar os padrões da energia que passam por ele. Olhando, ouvindo e sentindo nossos corpos podemos aprender muita coisa sobre nossos padrões de energia espiritual, mental e emocional. O corpo é o nosso principal mecanismo de informação que pode nos mostrar o que funciona e o que não funciona em nossa maneira de pensar, de nos expressar e de viver.

Qualquer criança normal que tenha tido um ambiente razoavelmente positivo tem um corpo bonito, saudável e cheio de vitalidade. Essa beleza, essa animação e vitalidade são apenas a energia natural da vida do universo fluindo livremente através desse corpo, que está livre de hábitos negativos. Crianças pequenas em ambientes que lhes dêem apoio são seres totalmente espontâneos. Elas comem quando estão com fome, adormecem quando estão cansadas e expressam exatamente o que sentem. Sua energia não fica bloqueada e elas sempre são renovadas e revitalizadas pela sua própria energia natural.

Mas, como nenhum de nós teve uma criação sequer próxima da perfeição, desde muito cedo começamos a desenvolver hábitos contrários à nossa energia natural. Esses hábitos servem para ajudar-nos a sobreviver no mundo neurótico em que estamos. Aprendemos esses padrões com nossas famílias, com nossos amigos, com nossos professores e com a comunidade em geral.

Ao seguir o comportamento que observamos nos outros ou ao tentar seguir as regras e os regulamentos impostos por outros, passamos a nos movimentar de maneiras que vão contra o nosso fluxo natural. Paramos de agir de acordo com o que conhecemos ou sabemos física e emocionalmente, e já não dizemos nem fazemos o que realmente sentimos. Paramos de dar ouvidos aos sinais que o nosso corpo nos envia sobre o alimento, o descanso, o exercício e o cuidado de que ele precisa. Torna-se arriscado demais seguir a nossa própria energia e, assim, bloqueamos o seu fluxo, passando aos poucos a sentir cada vez menos energia e menos vitalidade. Quando o fluxo de energia diminui, o corpo não é revitalizado fisicamente com a mesma rapidez – e começa a envelhecer e a se deteriorar. À medida que repetimos comportamentos negativos crônicos, nosso corpo passa a refletir esses padrões – como o de encurvar-se para expressar o modelo interior que diz para tornar-se pequeno e impotente.

Se você tem vontade de permitir que a energia do universo flua através de você, confiando e seguindo a sua intuição, aumentará o sentimento de bem-estar e o seu corpo refletirá isso com uma saúde, beleza e vitalidade cada vez maiores. Sempre que você não confia em si mesmo e não segue a sua verdade interior, reduzirá esse bem-estar e o seu corpo refletirá isto com a perda de vitalidade, um entorpecimento, com dor e até com doença física.

A doença é uma mensagem do nosso corpo, que nos diz que em alguma parte não estamos seguindo a nossa verdadeira energia ou apoiando nossos sentimentos. O corpo nos dá muitos sinais desse tipo, começando por sentimentos relativamente sutis de cansaço e indisposição. Se não prestamos atenção a esses indícios e não fazemos as mudanças adequadas, nosso corpo dará sinais mais fortes, como dores, mal-estar e indisposições menores. Se mesmo assim não mudamos, poderá acontecer uma doença ou um acidente mais sério ou fatal. As mensagens mais fortes sempre podem ser evitadas prestando-se atenção às mais sutis. Mas, uma vez que tenha surgido uma mensagem mais forte, nunca é tarde demais para que ela seja tratada e curada – se é que isso é o mesmo que desejamos. Entretanto, é neste ponto que muita gente deixa de optar pela cura. Decidem abandonar o corpo e começar com um novo, em vez de tentar abrir seu caminho passando por todos os velhos padrões neste.

Se você está com algum mal-estar, descanse. Seu corpo sempre quer descanso e tranqüilidade quando está doente. Depois, quando estiver melhor, pergunte ao seu corpo o que significa a mensagem desse mal-estar. Ele sempre lhe dirá o que você precisa saber para se curar.

Uma das minhas amigas estava sentindo uma dor muito forte do lado direito do rosto. Intuitivamente, ela sabia que a dor diminuía se ela abrisse a boca e dissesse mais do que ela queria e mais do que ela sabia. Fez isso e a dor diminuiu um pouco, mas não desapareceu. Uma noite, numa atitude de entrega, ela disse ao universo que estava cansada de tudo isso e pediu uma resposta. Depois, deixou de pensar no problema e foi dormir. Em sonhos, durante essa noite, a intuição lhe disse que parasse de tomar lêvedo de cerveja. Ela imediatamente pôs de lado a mensagem, achando que era muito estranha e continuou a tomar sua dose de lêvedo. Dias mais tarde, depois de sentir aguilhoadas contínuas nas entranhas, ela parou de tomar o lêvedo. Mas dois dias depois a dor no rosto desapareceu.

Quando se pede um tratamento, nunca se sabe o que o corpo irá dizer. Ele poderá dizer para parar ou para começar a comer alguma coisa, para expressar sentimentos para um amigo, largar o emprego ou ir a um médico. O principal é perguntar e ouvir a resposta.

Certa vez, veio a mim um cliente que sofria de uma séria dor nas costas há um ano e meio. Durante a sessão, eu lhe disse que entrasse em contato com a dor e perguntasse para o seu corpo o que ele estaria tentando dizer. Ao fazer isso, o cliente se deu conta de que ainda não havia chorado a morte de sua mãe e não expressara a raiva que sentia para com seu pai. Estava segurando a raiva e a tristeza nas costas. Reconhecer esse fato diminuiu parte da dor. Conversando um pouco mais sobre o assunto, ele conseguiu chorar a morte da mãe. Pouco depois, ele passou a expressar a raiva que sentia para com o pai. Começou a me falar sobre isso e também a escrever a respeito de todos os seus sentimentos. A dor nas costas desapareceu, mas continuou a ser o barômetro de seus sentimentos reprimidos: agora ele sabe que, quando sente a dor, precisa dar um apoio a si mesmo expressando determinados sentimentos.

Uma vez que tenhamos um sintoma, ele poderá voltar, se o comportamento se repetir. Nosso corpo nos serve, informando-nos, com toda a precisão, sobre qualquer energia bloqueada. Abaixo está uma lista que fiz sobre algumas das causas mais comuns de dores ou doenças do corpo. Cada uma vem acompanhada de uma afirmação para o seu tratamento.

Dor de cabeça: duas forças e sentimentos interiormente conflitantes; permita que os dois lados tenham uma voz.

Agora desejo ouvir a todos os meus sentimentos.

Resfriado: o corpo precisa de descanso, de uma limpeza do que é velho – ele precisa voltar ao equilíbrio.

O meu corpo está em perfeita harmonia. Quero descansar e facilitar a minha vida. Desejo me livrar do que é velho.

Problemas de compleição: energia masculina contida; há uma necessidade de empreender alguma ação e/ou expressar-se mais diretamente.

Irei ao encontro do que sinto e daquilo que quero. Expresso meus pensamentos de maneira clara e direta.

Erupções da pele: vontade de romper com tudo e agir; pergunte a si mesmo o que o está deixando impaciente.

Eu atuo de acordo com a minha intuição. Quero fazer novas experiências. Eu faço aquilo que quero.

Alergias: falta de confiança na intuição, sentimentos reprimidos; as alergias relacionadas com olhos lacrimejantes são indícios de tristeza reprimida.

Confio nos meus sentimentos e consigo expressá-los. É mais seguro sentir e expressar minha raiva e minha tristeza.

Dor nas costas: o sentimento de ter de dar apoio a outros e ao mundo. Uma necessidade de expressar e dar apoio aos seus próprios sentimentos. Dor na parte inferior das costas em geral é tristeza reprimida; na parte superior, em geral é raiva reprimida.

Apóio todos os meus sentimentos. Eu tomo conta de mim mesmo. Confio em meus sentimentos e sei expressá-los. Confio em que os outros irão tomar conta de si mesmos da maneira mais certa.

Cólicas menstruais: não dar ouvidos nem respeitar plenamente o seu feminino; uma necessidade de estar sossegada e se refugiar no seu íntimo.

Respeito completamente o meu feminino e atuo segundo o que ele me diz para fazer.

Relaxo, descanso e cuido de mim sempre.

Problemas de visão: Não querer enxergar certas coisas dentro de si mesmo ou no mundo. Em geral, há uma decisão tomada no início da vida de não olhar para o que você está "vendo" intuitivamente, por temer que seja muito doloroso; quando a visão interior é fechada, a exterior também é enfraquecida.

Agora eu quero ver tudo em minha vida com muita clareza.

Problemas de audição: necessidade de silenciar vozes e influências exteriores; uma necessidade de ouvir mais a sua voz interior.

Não tenho de dar ouvidos a mais ninguém. Ouço minha voz interior e confio nela.

Os vícios

Quanto menos confiamos na nossa energia natural, mais provável será que utilizemos drogas como o café, cigarros, o álcool, alimentos pouco saudáveis ou comida demais, maconha, bolinhas, cocaína ou outra coisa qualquer para tentar manipular a energia e, assim, depauperar ainda mais o nosso corpo.

A maioria das pessoas tem medo da própria energia, da própria força. Elas temem estar sendo de mais ou de menos, temem ter energia de mais ou de menos. A verdade é que se as pessoas quisessem abandonar o uso de substâncias viciantes, descobririam a sua própria energia e, fazendo isso, deixariam fluir sua verdadeira fonte de força e criatividade.

Eu encaro o vício como um recurso que as pessoas utilizam para controlar a própria força. Muitas pessoas fortes e criativas se tornam viciadas porque não têm uma força interior que dê apoio à sua energia. Sem uma confiança no universo, a força e a criatividade do indivíduo podem parecer avassaladoras. Com as substâncias, pode-se forçar a energia natural ou abafá-la – mas, de qualquer maneira, se está detendo o fluxo natural do universo.

Não é preciso ser um completo viciado para compreender que se está usando uma substância para manipular a energia. Você pode muito bem perceber que está tomando três xícaras de café para se energizar e, depois, descobrir que está esgotado. (Vivemos numa região do mundo viciada em café, que eu considero uma droga forte, porque prejudica seriamente a sua capacidade de confiar na energia natural e de segui-la.)

Se o problema é físico ou emocional, mas você descobre que não consegue parar, o principal é perceber o que está fazendo. Verifique quando e por que você toma café. Observe como ele muda a sua energia. Mais tarde você descobrirá que não precisa mais pagar esse preço.

Compreenda que todos nós usamos alguma espécie de vício para regular o nosso ritmo. A cura para isso é fortalecer a confiança em nós mesmos e no universo. A verdadeira cura é desejar cada vez mais sentir a própria força e a própria energia.

Para os viciados em drogas ou no álcool, observem que tentar regular não é o bastante. Isso poderá fazer com que você fique mais consciente do seu problema e do quanto está fechado, mas, em geral, a ânsia física exige mais do que qualquer conscientização. Por isso, eu estimulo essas pessoas a que procurem ajuda e apoio através de um profissional especializado no abuso de substâncias tóxicas ou em grupos como os Alcoólatras Anônimos ou os Narcóticos Anônimos, para que se abstenham do uso das drogas. Isto proporciona ao corpo a oportunidade de se curar e ao espírito a possibilidade de ser ouvido. No vício das drogas, o corpo e a droga estão bloqueando todas as vozes do espírito.

Meditação

Sente-se ou deite-se, feche os olhos e respire, algumas vezes, profundamente. A cada respiração, sinta o seu corpo indo para um lugar profundamente à vontade. Relaxe a mente e solte os pensamentos. Tente não se apegar a qualquer pensamento que esteja tendo. Sinta-se relaxado num lugar tranqüilo dentro de si.

Esse lugar tranqüilo é uma fonte de alimento e de tratamento para você. Esteja consciente de que pode ir até lá e descobrir tudo aquilo de que precisa saber para se curar. Se está tendo um problema com a saúde ou tem alguma pergunta a fazer à intuição sobre o seu corpo, aproveite e faça-a agora.

Pergunte o que você precisa saber para se tratar e o que o seu corpo necessita. Depois de perguntar, permaneça aberto para qualquer resposta que venha. Poderá aparecer em seguida alguma resposta ou algum sentimento intuitivo, ou estes aparecerão dentro de dois ou três dias. Talvez cheguem na forma de uma solução direta ou você talvez seja orientado para alguma pessoa ou lugar que lhe darão as respostas de que precisa.

Tenha a consciência de que você pode curar a si mesmo e que em seu interior existe uma sabedoria sem limites.

Diga silenciosamente ou em voz alta: "*Eu agora estou me tratando e vou me curar. Estou energizado, sentindo-me cheio de vida e de uma saúde radiante.*"

Meditação alternativa

Se existe alguma parte do seu corpo que esteja doente ou dolorida, experimente esta meditação. Fique em posição confortável, respire profundamente algumas vezes, relaxe todo o seu corpo e a sua mente. Agora leve a sua consciência até aquele lugar no corpo e pergunte-lhe o que ela sente e o que está tentando lhe dizer. Seja receptivo, sentindo e ouvindo a mensagem que for transmitida a você. Pergunte a essa parte do seu corpo o que é que você precisa fazer para se curar. Preste atenção e siga o que quer que ela lhe disser.

21
O corpo ideal

Ter um bonito corpo depende inicialmente do modo como seguimos o fluxo da nossa energia natural. Confie em si. Durma o quanto quiser. Continue na cama, se precisa de mais descanso. Expresse-se fisicamente de forma a se sentir bem. Coma aquilo que o seu corpo deseja e siga o seu coração. Se tem vontade de confiar no seu corpo, aprenderá o que é melhor para si.

Parece muito simples. Mas o problema é que nos ensinaram a desconfiar de nosso corpo e a encará-lo como algo que necessita de controle. Algumas religiões chegam até a dizer que o espírito é bom e que o corpo é um instrumento fraco e pecaminoso do demônio. Embora tenhamos evoluído ao ponto em que tais idéias, em geral, não são expressas abertamente, continuamos a responder ao nosso corpo com desconfiança. Como resultado da nossa cultura, estamos acostumados a ignorar nosso corpo e suas necessidades. Nossa mente diz ao nosso corpo o que fazer. Resolvemos que um dia de trabalho que vai das nove às cinco é uma forma "razoável" de viver e depois esperamos que o corpo coopere, mesmo que não se sinta bem. Também desenvolvemos uma série de teorias intelectuais sobre o que é e o que não é bom para nós, que comidas devemos ou não devemos comer.

Quando crianças, adotamos as regras e os costumes dos nossos pais e da sociedade em que vivemos para comer. Mesmo quando você quer comer algo diferente no jantar, ou quer jantar numa hora diferente, é muito provável que haja uma expectativa de que se conforme às normas do sistema. O corpo poderá dizer-lhe uma coisa e a sociedade outra. Aprendemos a desconfiar de nós mesmos desde muito cedo. Essa desconfiança provoca conflito e desequilíbrio no nosso sistema. Nós nos rebelamos, ansiando por todo gênero de coisas que normalmente não desejaríamos se nos deixassem seguir nosso fluxo natural. Se não podemos ter o que realmente desejamos, reagimos, indo em busca da gratificação emocional que estiver mais disponível. Nosso corpo reage a esse desequilíbrio, ganhando peso, tornando-se hipercinético, perdendo peso, desenvolvendo vícios alimentares e alergias. Depois, para resolver esses problemas, estabelecemos expectativas muito rígidas, determinamos dietas e alimentos especiais, horários específicos para comer, regras sobre o que podemos comer ou não. Nossa cabeça começa a dizer ao nosso corpo o que e quando comer, dependendo da dieta que estivermos adotando naquele momento.

E isso não acontece apenas com dietas ou regimes alimentares. As pessoas estabeleceram idéias a respeito dos exercícios. Alguns acreditam que a única maneira de manter o corpo num peso ideal é fazer dietas ou regimes de maneira aborrecida e controlada. A sociedade promove isso e ganha dinheiro com isso. Mostram-nos sempre qual deveria ser a aparência de um belo corpo e nos vendem as maneiras de consegui-lo. Vendem-nos regimes, perdas de peso milagrosas, tratamentos para a saúde e cartões de membros de institutos de beleza e saunas. Estamos sempre fustigando o nosso corpo com alguma nova idéia que temos para a sua saúde. O problema que há com esses modelos que adaptamos da nossa sociedade é que estamos sempre insatisfeitos, seja qual for a nossa forma física ou a maneira como nos sintamos.

O caminho para conseguir um corpo forte, saudável e bonito começa na confiança em si mesmo a partir de agora. Deixe de lado o esforço e entregue-se às necessidades do seu corpo. A intuição lhe dirá o que comer. Ela poderá aconselhá-lo a fazer exercícios vigorosos (caso você goste muito de fazê-los), ou poderá dizer a você para descansar e diminuir o ritmo. Poderá dizer-lhe para ficar na cama o dia inteiro ou para levantar-se bem cedo. Não existem regras. Seu corpo sabe muitíssimo bem o que é bom para ele.

As pessoas em geral reagem com medo quando eu digo para confiarem em si mesmas e seguir as necessidades do seu corpo. Elas têm medo de ficar na cama o dia inteiro, comer chocolates e engordar. Esse medo se baseia em distorções que foram causadas por tantas e tantas regras que nos foram impostas. Em reação a essas regras, você talvez enlouqueça com ansiedades e vícios antigos por alguns dias ou até algumas semanas, mas terá de ser paciente com o seu corpo; só assim descobrirá qual é o seu fluxo natural. Enquanto o seu corpo vai aprendendo que pode comer o que quiser e quando quiser, ele vai relaxando e começando a desejar as comidas que são boas para ele. Devido às distorções, poderá haver um período em que sua intuição diga para ficar longe de alguns alimentos, sabendo que o seu corpo reage de maneira alérgica ou viciosa a eles. Confie em si mesmo. Você começará a se sentir e a parecer como é o seu espírito: vivo e energizado, bonito e juvenil. Seu corpo irá descobrir qual é o seu peso ideal.

A afirmação

A chave mais importante para a criação de um corpo ideal é aprender a afirmar-se coerentemente na vida. Descobri que pessoas com excesso de peso geralmente duvidam de si mesmas, têm medo de confiar em seus sentimentos e de agir segundo eles. Elas precisam aprender especialmente a dizer "não" aos outros, quando não querem fazer alguma coisa. Muitas pessoas com excesso de peso não têm limites pessoais muito demarcados; tentam agradar e tomar conta dos outros, permitindo que os outros se intrometam em suas vidas e aproveitem-se delas. Por isso elas têm de usar um peso extra como amortecedor, que é uma forma de criar certa distância em relação aos demais.

As mulheres, especialmente, receiam que, tornando-se magras, passem a ser sexualmente atraentes *demais*. Receiam atrair uma atenção indesejada e não confiam em si mesmas para saber como lidar com isso. Algumas pessoas receiam sentir-se sensíveis ou vulneráveis demais e não saber proteger-se. Outras têm medo de estar um pouco "aéreas" demais e usam o peso para se firmarem no chão.

Se você tem esses medos, poderá fazer regimes e dietas eternamente, mas não perderá peso ou não conseguirá manter-se sem ele porque inconscientemente precisa desse peso.

Por esse motivo, o processo da afirmação é muito vital. Quando você aprende a apoiar os sentimentos com a ação, cria uma força e uma proteção interior. Sente-se seguro para movimentar-se em novas situações e para atrair atenção e energia, sabendo que será capaz de dizer "não" a qualquer coisa que não lhe pareça boa. Você sabe que será verdadeiro para consigo mesmo e sabe tomar conta de si. Seu lado feminino sente-se seguro, sabendo que o seu lado masculino irá apoiá-lo.

Minha experiência é que, uma vez que as pessoas aprendam a afirmar-se, elas são capazes de perder peso com facilidade e muito naturalmente, sem nenhuma espécie de privação. A circulação de aumento de energia em seu corpo dilui a energia bloqueada e o excesso de peso aos poucos vai desaparecendo. Elas já não têm mais necessidade dele no que diz respeito a força ou a proteção, e o libertam sem o menor esforço. Sendo necessária alguma dieta especial, elas intuitivamente sentem o que devem comer e descobrem que é agradável fazer isso.

Esperar = excesso de peso

Se você está sempre esperando ser, fazer ou ter o que deseja, sua energia fica bloqueada e seu corpo refletirá isso com excesso de peso. Expressando-se diretamente e fazendo o que quer e quando quer (o que essencialmente significa dar apoio a si mesmo), a energia se movimentará livremente pelo seu corpo e essa circulação dissolverá o excesso de peso. Quanto mais você desejar ser você mesmo, menos irá precisar usar a comida como substituto emocional; você estará recebendo o alimento natural do universo.

Para dar apoio a si próprio é preciso agir de acordo com seus sentimentos e com sua intuição. Já vi pessoas perderem de 4 a 6 quilos durante um seminário de fim de semana apenas fazendo aquilo que tinham medo de fazer, ou expressando algum sentimento reprimido. Continuando a fazer isso, você dissolve os bloqueios e o seu peso alcança o equilíbrio.

De início, a perspectiva de ter de apoiar a si mesmo a todo momento poderá ser assustadora. Não estamos acostumados a declarar aquilo que precisamos e agir de modo a dá-lo a nós mesmos. É preciso um esforço consciente para que nos sintonizemos com o que estamos sentindo e nos arrisquemos a agir. Mas, uma vez começado, é uma coisa tão boa, que você desejará continuar fazendo. Perderá peso, terá mais energia e terá uma aparência mais viva e bonita. Nesse ponto, realmente, não há volta. A alternativa é o entorpecimento e a morte. Sempre que sigo minha voz interior, sinto mais vida e mais energia. Sempre que vou contra ela, sinto uma luta em meu corpo e me vêm um peso e um cansaço enormes. Se continuo a me empurrar além do que deseja o meu corpo, vou ficando cada vez mais cansada e sem vida. A escolha é muito simples: a vida ou a morte.

Você poderá querer fazer parte de um grupo de apoio que estimule seus esforços. Andei trabalhando semanalmente com um grupo, explorando o que significa seguir nossa energia e como agir para dar apoio à nossa intuição. Aprendemos como expressar nossos sentimentos no momento em que aparecem e, também, a limpar os bloqueios emocionais que nos impediam de progredir. As pessoas do grupo mudaram fisicamente. Muitos perderam peso. Nosso corpo não pode sustentar peso em excesso quando há muita energia circulando por ele.

Uma das minhas clientes tinha cerca de trinta e cinco quilos de peso em excesso, quando começou a trabalhar comigo. Ela havia tentado todos os programas possíveis de se imaginar na tentativa de perder peso, mas não havia conseguido resolver seu problema. Mas, à medida que ela ia aprendendo a confiar e a cuidar de si mesma, começou a curar-se, expressando os sentimentos reprimidos. No grupo semanal, ela obteve apoio por expressar-se diretamente, dizendo o que sentia e o que desejava. Começou a confiar em seu corpo e a comer apenas aquilo que realmente tinha vontade de comer. Ela tornou-se física e espiritualmente mais leve e, depois de alguns meses, havia perdido cerca de vinte quilos.

Neste ponto, ela achou que já tinha obtido tudo o que precisava do grupo e quis sair, mesmo sabendo que ainda tinha algum peso em excesso. Entretanto, eu havia percebido que ela ainda mantinha uma porção de sentimentos reprimidos (o que era evidente pelo seu peso) e encorajei-a a expressar aquilo que ainda "estava esperando" para dizer. Ela disse que três membros no grupo haviam começado a incomodá-la e que não se sentia segura em compartilhar seus sentimentos com eles, que a faziam lembrar de pessoas e acontecimentos dolorosos de seu passado. Via refletidos neles o marido, o filho e ela mesma. Essas pessoas lembravam-na de coisas que ela não havia dito ou feito. Lembravam-na de uma traição feita a si mesma; por isso sentia raiva todas as vezes que tinha de olhar para elas.

Estimulei-a a trabalhar comigo em particular e, se quisesse, ela voltaria para expressar seus sentimentos com os membros do grupo. Ela precisava dizer o que não havia dito no passado. Fez isso. Por esta razão, começou a tratar de suas antigas feridas emocionais e a perdoar a si mesma pelo passado. Sua energia agora já não estava mais ligada ao passado e pôde fluir com maior liberdade pelo seu corpo. Ela continuou a perder peso sem fazer regimes.

Vi o mesmo acontecer inúmeras vezes. As pessoas podem perder peso sem privar-se de nada. O contrário é que é a verdade: elas alimentam suas necessidades interiores, e logo passam a se sentir mais revigoradas.

Não existe um segredo para ter um corpo bonito. Basta que você confie em si mesmo e aprenda a atender às suas necessidades naturais. Sintonize e respeite a sua intuição. Mantenha a energia em movimento dando apoio a si mesmo em todos os momentos. E o mais importante: goste de você e cuide de si mesmo com carinho. Você é uma pessoa bonita.

Como regular o ritmo com a comida

As pessoas usam a comida para regular o nível de sua energia natural. Se você é uma pessoa com muita energia nervosa, poderá utilizá-la para reduzir um pouco a sua atividade ou, se sente a necessidade de uma certa aceleração, poderá usar a comida para isso. No final das contas, essas duas coisas acabam levando a uma eliminação parcial da sua energia natural.

As pessoas, em geral, têm medo da própria energia e da própria força, por isso têm a necessidade de controlar a intensidade do ritmo em que ela flui através de si. Algumas usam o alimento para isso. Outras usam as drogas, o álcool, os relacionamentos, o trabalho ou os vários vícios que existem por aí. À medida que passam a querer sentir e expressar sua energia natural, a necessidade de usar o alimento como um artifício diminui.

Como transformar nossas idéias negativas

A maioria das pessoas tem idéias negativas a respeito do próprio corpo e dos alimentos ingeridos. É importante examinar essas idéias e ter uma consciência maior do que dizemos para nós mesmos. Quando você descobre que está dizendo para si mesmo algo negativo, que não é verdade, pode aproveitar a oportunidade para transformar esses pensamentos em afirmações. (Veja o número cinco do exercício a respeito das crenças básicas.) Algumas dentre as crenças negativas são:

Tudo o que tem bom sabor é ruim para mim.
Se eu cheirar uma comida deliciosa, ganharei peso.
Só posso comer um pouquinho, senão ganharei peso.
Não posso confiar no meu corpo.
O meu corpo tem de ser controlado.
Se eu fizesse o que o meu corpo deseja, ficaria gordo e/ou doente.
Meu corpo não coopera comigo.
Meu corpo não é como deveria ser.
Jamais terei o peso que desejo.
Tenho de ficar faminto e me esforçar muito para ter um corpo ideal.

Os pensamentos negativos de que você tem consciência não causam problemas reais, porque já estão a caminho de serem eliminados. Você precisa apenas tornar-se consciente deles e transformá-los em afirmações para ajudar a combater a negatividade que está passando para o seu corpo. As crenças negativas que sustentamos inconscientemente provocam a mais intensa sensação negativa em nossa vida e evitam que possamos criar aquilo que desejamos em sã consciência. Por exemplo, as pessoas podem estar afirmando, conscientemente, a magreza e continuar mantendo a necessidade de serem gordas. Por baixo do desejo de ser magro há uma crença negativa que inconscientemente motiva o corpo. A questão é descobri-la e, uma vez trazida à luz, ela perde sua força.

Algumas crenças e razões negativas essenciais que as pessoas sustentam em relação ao peso são: ódio de si mesmas e autopunição; proteção psicótica – sentir-se vulnerável demais e usar o peso como camada de proteção; medo de ser muito sensual e atraente para o sexo oposto e ter de lidar com os sentimentos sexuais pessoais e de outros para consigo; medo de ser bonito demais, chamando demais a atenção ou medo de ser muito forte; a idéia de que o peso é igual à força; uma profunda necessidade de amor; medo de expressar a criatividade, segurando literalmente a energia, que acaba criando peso no corpo; medo de enfrentar o espaço e o vazio – a desolação; medo de que a vida e os relacionamentos dêem certo; medo de abandonar os problemas.

Algumas destas crenças poderão se aplicar a você. O principal é descobrir quais são as suas crenças negativas essenciais. Abaixo apresento um método que descobri que é útil para isso:

1. Pegue lápis e papel. Faça três colunas no papel e na primeira anote todas as suas crenças sobre comida e sobre o seu corpo. Escreva tudo o que lhe passar pela cabeça, mesmo que não pareça ter sentido ou que não pareça ter alguma ligação. Continue escrevendo – quanto mais, melhor. Isto lhe dará a oportunidade de ver os seus pensamentos conscientes e também os inconscientes. Um pequeno exemplo: Jamais chegarei ao meu peso ideal. Detesto o meu corpo. Eu gostaria de poder mudar minha aparência. Não sou mais nem um pouquinho sensual. Estou destinado a ser gordo como a minha mãe. Ela tomava sorvete o tempo todo, como eu. Sorvete engorda. A comida engorda. Toda vez que chego perto de comida, engordo. Não tenho nenhuma força de vontade. A única maneira de perder peso é fazer regime.

2. Examine essas crenças. Na segunda coluna, veja se consegue lembrar quando foi que pela primeira vez passou a acreditar nelas. Teria vindo do pai ou da mãe, de um filho, de um professor ou de um amigo? Não há necessidade de grandes esforços para deter-

minar a origem de todas as suas crenças. Examine apenas as que o afetam mais profundamente e observe as associações e as lembranças que emergem. Se outras lembranças forem surgindo depois, você pode anotá-las na segunda coluna. Por exemplo, você poderá relacionar a afirmação "Jamais chegarei ao meu peso ideal" com a sua mãe e, na segunda coluna, ao lado desta afirmação, escrever: "Vi que a minha mãe jamais conseguia perder peso"; ou então, ao lado da afirmação "Não sou mais nem um pouquinho sensual," escrever: "Ouvi alguém dizer que 'magreza é lindo'." "Ouvi isso de amigos, dos meus pais e da mídia."

3. Dê uma olhada nas suas crenças. Identifique as que não servem para você agora. Pergunte a si mesmo o que o impede de se livrar dessas crenças. Por exemplo, uma compensação para manter a crença de que "Jamais chegarei ao meu peso ideal" é a segurança. Talvez seja assustador demais ver-se por inteiro.

4. Quando tiver identificado suas crenças negativas, o próximo passo é desapegar-se. Perceba que elas serviram para você durante anos. Se quiser, agradeça-lhes pelos serviços prestados e faça-as saber que você agora está desejando liberá-las. Uma afirmação que parece ser muito útil no processo de desapego é: *Agora estou disposto a me desapegar disto*.

5. Na terceira coluna, crie uma afirmação para neutralizar e corrigir cada uma das suas crenças negativas. Algumas sugestões:

a. A afirmação deve ser curta, o mais simples possível, e ter um significado para você.

b. Deve estar no presente, como se já estivesse acontecendo.

c. Você deve usar o seu nome. Exemplo: "Eu, Shakti, tenho um corpo lindo."

d. A afirmação deve relacionar-se diretamente à sua crença negativa, transformando-a numa crença positiva e expansiva.

e. Sua afirmação deve parecer perfeitamente certa para você. Ela deve provocar uma emoção forte. Se não estiver assim, tente mudar, até que esteja.

Depois disso:

f. Repita sua afirmação silenciosamente para você mesmo em meditação, imaginando que tudo está funcionando perfeitamente como você quer.

g. Se tiver um parceiro, peça-lhe que faça a você essa afirmação, usando o seu nome e olhando profundamente nos seus olhos.

h. Depois que ele a disser, responda: "Sim, é verdade."

i. Escreva sua afirmação dez a vinte vezes por dia. Se surgirem pensamentos negativos, escreva-os no verso da folha de papel e mantenha a afirmação na frente, até que ela fique muito clara. Exemplos: *Agora estou com o peso ideal. Gosto muito do meu corpo e o aceito. O meu corpo é perfeito da maneira como é. Eu sou bonito e sensual. Sou uma mulher (ou homem) muito bonita e muito forte. Agora abandonei o passado. Estou livre para ser eu mesmo. É seguro me alimentar. A comida me alimenta e me dá energia. Todas as calorias que como são queimadas e transformadas em energia pura. A comida gosta de mim. Como de tudo o que quiser, sempre que quiser, e continuo com meu peso ideal. Tenho toda a confiança e atuo segundo os meus sentimentos. É muito seguro ser magro e bonito.*

Este método irá ajudá-lo a examinar suas crenças e a trazer à consciência as que estão escondidas. Você poderá utilizá-lo sempre para eliminar a negatividade que o impede de ter um corpo saudável, forte e bonito. Uma vez eliminadas essas negatividades, você começará a ver o seu corpo com a beleza que ele tem e qualquer comida que ingerir como nutritiva.

Como valorizar o seu corpo

Valorize a beleza que existe no seu corpo e em você. Concentre-se naquilo que mais gosta em você. Quanto mais estiver querendo fazer isso, mais fácil se tornará. Seu corpo irá responder a esta valorização e tornar-se cada vez mais bonito.

Já se tornou um hábito verificar o que deve ser mudado em nós mesmos. Estamos esperando a perfeição antes que passemos a gostar completamente de nós mesmos. Você poderá mudar essas gravações de autocrítica, examinando o que aprecia em si e oferecendo alguma informação positiva.

Se você não consegue se valorizar, comece a olhar para outras pessoas com as mesmas características suas e admire-as.

Uma amiga minha que tinha dez quilos de peso em excesso estava sempre se diminuindo, por causa da aparência que tinha. Ela achava que a única maneira que talvez poderia fazê-la gostar de si mesma seria se fosse magra. Como não conseguia ver sua própria beleza, achou que devia começar olhando para mulheres com excesso de peso, como ela, e aprender a dar-lhes valor. Começou a ver como eram bonitas outras mulheres "com excesso de peso", e observou como pareciam sensuais e animadas. Começou a cumprimentá-las pela sua aparência. Fazendo isso, ela conseguiu olhar para o seu próprio corpo de uma nova maneira. Começou a se aceitar e a se valorizar. O corpo respondeu a essa aprovação com mais vida e energia. Aos poucos ela foi perdendo os quilos a mais e continua a gostar de seu corpo como ele é.

Um ritual para gostar do seu corpo

Fique de pé, nu, diante de um espelho grande. Envie pensamentos positivos a cada parte do seu corpo. Mesmo que você não goste do seu corpo e não aprove determinadas partes dele, procure alguma coisa bonita em cada uma dessas partes. Compreenda que o seu corpo lhe presta serviço há anos. Agradeça-lhe por isto. Compreenda que ele está apenas seguindo as suas orientações.

Por exemplo, você poderá dizer para si mesma: "Você tem um cabelo bonito, grosso e brilhante." Depois olhe no espelho para o seu cabelo e veja a sua beleza, o seu resplendor e brilho. Mesmo que ele não esteja reluzindo e brilhando tanto quanto você gostaria, continue a ver isso e a valorizar a si mesmo exatamente como você é, dizendo: "Gosto da sua aparência. Você tem mãos lindas. Você tem pernas fortes e saudáveis. Você tem uma linda cor de pele. Você tem olhos luminosos."

Passe por cada parte do seu corpo dessa maneira e envie a cada uma delas a mensagem de que você aprecia e gosta. Descubra uma forma de valorizar cada parte de si mesmo. Agradeça ao seu corpo por estar com você por tantos anos, atendendo aos seus desejos e prestando-lhe tantos serviços. Ele tem feito para você o que você pediu a ele. Se quiser, pode colocar ou tocar uma música de que goste e usar velas ou flores para esse ritual. Realize-o uma ou duas vezes por dia, pelo menos durante uma semana. Ele serve para mostrar ao seu corpo o quanto você o aprecia e respeita. Seu corpo tem sido criticado, julgado e rejeitado por você há anos. Ele responderá rapidamente ao amor e à energia. Você se sentirá mais leve e mais energizado. As linhas do seu rosto irão relaxar. Você começará a resplandecer com saúde e força e ficará impressionado com os resultados.

Exercícios de visualização

No livro *Creative Visualization**, recomendei técnicas de visualização para embelezar o nosso corpo. Acho que estes são instrumentos muito úteis. Pelo menos, meus clientes e meus amigos conseguiram resultados maravilhosos com essas técnicas. Por isso, descreverei duas delas que você pode usar.

1. Sempre que pensar no seu corpo, veja-o da maneira como você gostaria que ele fosse. Veja que o seu corpo é perfeito e passe a afirmar isto. Reserve alguns minutos durante o dia para fechar os olhos e visualizar seu corpo no peso, tamanho e força que você deseja. Veja o seu corpo energizado e forte. Veja e sinta a energia fluindo através de você.

2. Use a foto de alguma revista para ajudar a visualizar o seu corpo ideal. Escolha uma que se pareça com você – como seria em formato grande – recorte-a e pregue-a na parede. Coloque-a num lugar onde você olhe todos os dias. Veja a foto como se fosse o *seu* corpo. Você pode até colar uma foto do seu rosto na foto da revista para que veja o seu rosto com o seu corpo ideal.

* *Visualização criativa*, Ed. Pensamento, São Paulo, 1990.

Meditação

Sente-se ou deite-se numa posição confortável. Respire algumas vezes profundamente e relaxe o corpo. Em cada exalação, elimine o que você não quer ou necessita; faça com que todas as tensões, frustrações e todo o cansaço abandonem o seu corpo. Ao inalar, absorva tudo o que você quer ou deseja: o relaxamento, a serenidade, a força, a prosperidade e o prazer.

Nesta situação relaxada e rejuvenescida, veja o seu corpo à sua frente. Imagine que ele tem exatamente a aparência que você quer. Observe-o nos menores detalhes possíveis. Você agora está com um peso, tamanho e forma ideais. Quando olha para o seu rosto e o seu corpo, você vê a sua beleza. Você tem exatamente a aparência que deseja ter e se sente exatamente como gostaria de estar se sentindo.

Você pode sentir o que significa ter um corpo que dá apoio ao seu espírito. O espírito diz "faça isso" e o corpo, com toda a sua perfeição, estará ali para corresponder à sua sabedoria interior.

Você é beleza, força e energia.

Exercício

1. Faça uma lista de todas as situações em que você se vê como um "peso" para si mesmo. Quando é que você está esperando para se livrar desse "peso" e começar a dizer, a fazer, a ter e a se tornar o que você quer?

2. Ao lado de cada item da lista, escreva como é que você pode agir. O que você pode fazer para mudar essa espera, transformando-a em dizer, em fazer ou em ter o que você quer?

22
A vida e a morte

Viver é optar por seguir o fluxo de energia que existe dentro de nós. Morrer é optar por bloquear ou ir contra essa energia vital. Enfrentamos estas opções entre a vida e a morte em cada momento de nossa vida.

Toda vez que optamos por confiar e seguir nossa intuição, o nosso canal se abre mais e um fluxo maior de força vital flui por ele. As células do nosso corpo passam realmente a receber mais energia e são renovadas e revitalizadas mais depressa. Física, emocional e mentalmente nos sentimos mais cheios de vida e nossa luz espiritual pode resplandecer mais. Nosso corpo permanece jovem, saudável e bonito, irradiando vitalidade.

Quando optamos por não seguir nossa orientação intuitiva, fechamos esse canal e nossas células recebem menos energia. O corpo começa a definhar mais depressa. Quando não estamos seguindo o fluxo da energia, a vida se torna uma luta. A tensão e o esgotamento invadem a forma física e podemos ver esta luta no nosso rosto e no nosso corpo. Formam-se as linhas de preocupação e o corpo começa a se curvar com o esforço que está fazendo. Se continuamos a fechar a energia a cada momento, a cada dia, a cada ano, o corpo envelhecerá, irá definhar e morrer. Se mudamos de modelo e começamos a confiar mais em nós mesmos, o corpo começará a se renovar.

Uma parte de todos nós quer a vida, quer assumir o compromisso de viver e deseja confiar na própria intuição e segui-la sempre. Existe também uma parte de nós mesmos que não confia em si: "Não posso fazer isso, é demais, é muito intenso, não quero me entregar." Quando vamos contra nós mesmos, sentimos apenas o esforço e a luta; quando nos entregamos à vida, sentimos a paixão, a animação e o fluxo vital.

Sempre que uma pessoa morre, ela está inconscientemente optando por deixar este corpo físico. Pode parecer que está sendo vítima de um desastre ou de uma doença fatal, mas ela é responsável pela sua própria jornada. Seu espírito sabe o que está fazendo, mesmo quando o corpo o nega. Quando você começa a acreditar nisso, começará também a senti-lo telepaticamente. Se você estiver próximo de alguém que está à morte, poderá sentir que essa pessoa está fazendo uma escolha.

As pessoas vêm ao mundo para realizar um objetivo específico e, depois de realizá-lo, vão embora, ou, não conseguindo realizá-lo, resolvem assumi-lo novamente nesta vida ou numa outra dimensão. Alguns sentem que se atrapalharam e emperraram e que a coisa não está indo bem; têm a impressão de que não estão aprendendo com a rapidez necessária: "Esta vida começou com muitos pontos negativos contra mim. Não quero mais lidar com isso. Acho melhor começar tudo de novo."

Fazendo conscientemente uma opção pela vida, você também influencia a escolha dos que estiverem à sua volta. A cada momento, se você opta pela sua intuição e age de acordo com ela, estará escolhendo a vida, em vez da morte, e estará aumentando essa vitalidade que emana de você. Qualquer pessoa ligada a você a sentirá, e isso é o que reforça a opção que estas pessoas fazem pela vida.

Quanto mais optamos por viver na luz, mais saudáveis e mais cheios de vida se tornarão nossos corpos. Vivendo como canais para o universo, acredito que retardaremos ou talvez até detenhamos o processo de envelhecimento da maneira como o conhecemos. Creio que é possível tornar-se mais cheio de energia, de vida e de beleza quanto mais velhos ficamos, em vez de acontecer o contrário. Agindo assim, não abandonaremos nosso corpo inconscientemente, por acidente ou doença. Permaneceremos no corpo físico pelo tempo que assim o desejarmos e poderemos fazer a opção consciente de deixá-lo a qualquer momento em que preferirmos fazer outra coisa. A morte, se e quando a escolhemos, não será uma tragédia, mas uma transição consciente para uma outra dimensão.

Meditação

Sente-se ou deite numa posição confortável. Feche os olhos. Inspire profundamente muitas vezes, e relaxe o corpo. A cada respiração, vá abandonando tudo no caminho para estar com você mesmo. Relaxe lentamente, indo para aquele lugar tranqüilo que existe dentro de você.

Traga à memória alguma situação recente na qual você optou por não seguir sua energia, na qual você não fez o que pretendia fazer. Repita mentalmente esta cena. Veja a si próprio indo contra aquilo que você sabe que é a sua verdade. Observe então como se sente. Olhe para o seu corpo e observe qual era a sua aparência e como se sentia física, emocional e espiritualmente.

Volte agora para essa mesma situação e veja-se fazendo exatamente o que desejava – veja-se optando por seguir sua energia. Observe então a sua aparência e como se sente. Passe alguns minutos sentindo como é confiar em você mesmo, agindo segundo aquilo que quer.

Exercício

Este exercício vai ajudá-lo a tornar-se consciente da sua opção pela vida ou pela morte.

Mantenha um diário com algumas das decisões tomadas durante o dia. Observe quando você fazia o que desejava e quando optou por não fazê-lo. (Por exemplo, observe se você se decide a ir a uma festa quando na verdade preferia ficar em casa.) Depois, escreva o que sentiu sobre as opções feitas. Observe como se sentiu física e emocionalmente.

À medida que você vai se tornando mais consciente acerca das ocasiões nas quais segue a sua energia ou vai contra ela, e observa os resultados dessas opções, estará escolhendo cada vez mais a vida e a vitalidade a cada instante.

23

Como transformar o nosso mundo

A transformação começa num nível individual e vai passando para o mundo. Quanto mais aprendo a confiar na minha intuição e a agir segundo o que ela me diz, e quanto mais tenho vontade de aceitar todos os meus sentimentos, mais a energia do universo pode fluir por mim. À medida que isso ocorre, ela cura e transforma a mim e a todos e tudo à minha volta.

Isso acontece com cada um de nós. Quanto mais você deseja confiar e sèr você mesmo, mais viverá na luz. Todos à sua volta se beneficiarão com a sua energia e começarão a confiar e a ser mais eles mesmos. Por sua vez, essas pessoas tornam-se canais vigorosos para todos os que estiverem em sua esfera de influência. E, assim, a transformação se dissemina rapidamente por todo o mundo.

Talvez você tenha ouvido falar da síndrome do centésimo macaco. Em 1952, no Japão, os cientistas estavam estudando o comportamento dos macacos selvagens. O principal alimento deles era batata-doce. Um dia eles viram uma macaca fazer algo que jamais havia feito antes – lavou a batata antes de comê-la. Ela repetiu esse comportamento nos dias subseqüentes e logo observou-se que muitos outros macacos estavam lavando as batatas antes de comê-las. Cada vez mais macacos passaram a fazer isso. Depois, em 1958, quando todos os macacos da ilha já haviam adotado esse novo comportamento, os cientistas das ilhas próximas começaram a informar que os macacos das suas ilhas *também* estavam começando a lavar as batatas. Não havia nenhuma ligação física entre as ilhas e ninguém transportara nenhum macaco de uma ilha para a outra.

Este estudo ilustra algo de avassaladora importância para a raça humana e para o nosso planeta. Lavar as batatas foi um novo nível de consciência para esses macacos e, quando muitos deles o aceitavam, essa consciência era aparentemente transferida para os macacos das ilhas em volta, sem nenhum contato físico, sem nenhuma comunicação direta.

Acredito que é assim que ocorre a evolução da consciência. A consciência de cada indivíduo está ligada e é uma parte da consciência de massa. Quando um número pequeno mas significativo de indivíduos passa a um novo nível de consciência e muda significativamente o seu comportamento, essa mudança é sentida por toda a consciência de massa. Todos os outros indivíduos se voltam para a direção dessa mudança. E tudo isso talvez tenha começado com um único indivíduo que deu o primeiro passo.

Muitas vezes olhamos para o mundo à nossa volta e nos sentimos incrivelmente desamparados para realizar qualquer mudança positiva que tenha algum significado. O mundo parece tão grande e numa tal confusão – e nós nos sentimos muito pequenos e impotentes. A história do centésimo macaco nos ajuda a ver como um ou poucos indivíduos podem ter força na transformação do mundo.

Como o mundo é o nosso espelho, quando mudamos ele também muda. Você pode ver isso muito bem na sua vida pessoal. À medida que vai desenvolvendo o hábito de confiar em si mesmo e tomar conta de si, aos poucos irá abandonando os velhos modelos. Em breve notará que seus amigos, sua família, os colegas de trabalho também parecem estar todos se sentindo e agindo de maneira diferente. As pessoas que você encontra parecem estar tratando de problemas menos sérios (ou, se os problemas são sérios, são resolvidos com mais rapidez) e de questões mais criativas. Coisas que antigamente o assustavam e preocupavam parecem ter perdido a sua "carga" emocional. Até os problemas graves do mundo, embora ainda o preocupem, talvez não sejam mais tão assustadores como antes.

A razão dessas mudanças é que você está começando a *sentir* a força do universo dentro de si. *Enquanto você estiver sentindo a presença do universo no seu próprio corpo, você não sentirá medo.* É claro, sempre que você se abre para mais energia, mais o velho medo é empurrado para a superfície e liberado, e assim, no processo da cura, você irá sentir estados alternados de força e medo. Mas, aos poucos, uma sólida base de confiança se estabelecerá dentro de você. Outros sentirão essa mesma confiança e apoio para se abrir mais intensamente para a força e a verdade dentro de si mesmos. As pessoas e coisas à sua volta passarão a refleti-lo de maneiras cada vez mais positivas. Quanto mais luz você permitir que esteja dentro de você, mais luminoso será o mundo em que vive.

Como criar a mudança

Uma idéia que encontro com certa freqüência, especialmente em grupos de pessoas de orientação espiritual, é a de que tudo o que temos de fazer para mudar o mundo é pensar de maneira mais positiva sobre ele e mentalizar a mudança que desejamos. A mentalização e a afirmação são instrumentos poderosos. Eu os utilizo com freqüência e recomendo-os muito como parte deste processo (afinal, escrevi *Visualização criativa* e acredito muito na eficácia da técnica que o livro descreve). Mas existe uma outra parte do método que geralmente é ignorada, embora seja tão importante quanto essa.

Se o mundo é o nosso espelho, qualquer coisa que vemos nele reflete de alguma forma o que está em nós. É preciso assumir a responsabilidade por isso e desejar transformá-lo *dentro de nós*, se é que queremos ver a mudança lá fora. Assim, quando olhamos para o mundo e vemos a pobreza, a dor, a violência e o caos, devemos dizer para nós mesmos: "Qual é a pobreza, a dor, a violência e o caos em mim que isso reflete? Sei que o meu mundo é o meu espelho e, em certo sentido, é a minha criação. Se as coisas que vejo não estivessem em mim, elas não poderiam existir no meu mundo."

A questão não é *censurar-se* ou *assumir a culpa* pelos problemas do mundo. Nenhum de nós é realmente responsável pela vida das outras pessoas; todos estamos criando o mundo em conjunto. E o estamos fazendo da melhor maneira que sabemos fazer. Estamos aqui para aprender e temos de deixar que a imperfeição nos ensine em vez de nos censurarmos por isso. Temos de adotar uma atitude positiva de responsabilidade, dizendo: "Eu quero aprender a confiar e a seguir a minha própria verdade interior, sabendo que, quando o faço, estarei liberando a dor e o medo que estão dentro de mim e, assim, também estou tratando da dor e do medo que estão no mundo."

Um compromisso como este é algo muito forte e assumi-lo é uma tarefa simples. Para realizá-la, é necessário querer atravessar os níveis mais profundos da nossa consciência e reconhecer, não apenas os nossos medos pessoais, mas também as crenças negativas da humanidade, que estão em nosso corpo há muitos séculos. Para atravessar esses níveis, precisamos identificar e sentir todos os medos, cientes de que a luz os está curando e dissolvendo.

Quando as pessoas me perguntam o que podem fazer pelos problemas do mundo, em geral sugiro que comecem por identificar e afirmar que, enquanto elas estiverem fazendo sinceramente o seu trabalho interior pessoal, o mundo estará sendo transformado. Digo-lhes para olharem para os problemas sociais que as assustam ou perturbam e perceberem o medo ou a dor que sentem interiormente e de que modo essas questões refletem sua situação individual.

Por exemplo, se elas se sentem perturbadas com informações sobre a violência, peço que olhem e verifiquem que papel a violência desempenhou em suas vidas. Alguém teria sido violento para com elas no início da vida? Elas têm pensamentos e sentimentos violentos? Estão reprimidas ou dissociadas de seus próprios sentimentos violentos? De que maneira fizeram violência para consigo mesmas interiormente (criticando-se duramente, e assim por diante)?

Sei, aliás, por experiência que muitas pessoas precisam de ajuda na forma de uma terapia de apoio ou de um aconselhamento, para que possam lidar com níveis profundos da cura emocional. Para alguns, há certa relutância em buscar essa ajuda, talvez por medo de que isso seja sinal de doença ou de loucura. Pessoalmente, já procurei terapias de diversos tipos em muitas ocasiões e elas me ajudaram muito, desde que eu confiasse em minha intuição a respeito de com quem trabalhar, quando parar e assim por diante.

Se você é tocado profundamente pela pobreza em que grande

parte do mundo vive atualmente, talvez se sinta tentado a fazer algum gesto exterior para ajudar a aliviar a dor de alguém (ou seja, contribuir com algum dinheiro, fazer algum trabalho social ou político). Ao mesmo tempo, olhe para dentro de si mesmo para verificar de que maneira você acredita ou dá apoio à pobreza e à escassez na sua própria vida. Isso talvez não seja uma questão de dinheiro – você talvez esteja vivendo em alguma forma de pobreza emocional ou espiritual, embora rodeado pela riqueza material. Ou talvez esteja em paz, espiritualmente e emocionalmente, mas apegando-se à idéia de que o dinheiro é mau e, assim, mantendo-se num estado de pobreza financeira.

A pobreza em níveis pessoais e mundiais é apoiada pela idéia de escassez da nossa consciência de massa. Receamos profundamente *não haver o suficiente* de qualquer coisa que precisemos – dinheiro, comida, amor, energia, valorização. Criamos um mundo que apóia essa idéia. Existem estudos que demonstram que há muito alimento produzido neste mundo, mais do que o suficiente para alimentar muitíssimo bem a todos. Mas, devido ao fato de lá no fundo acreditarmos na pobreza, permitimos que, num lugar, a comida seja jogada fora enquanto em outro milhares de pessoas morrem de fome.

Se você está preocupado com questões ambientais, pense nelas deste ponto de vista. A mãe natureza é o símbolo do aspecto feminino, cheio de carinho, que existe em todos nós. O desrespeito e a falta de harmonia com a natureza só são possíveis numa sociedade de indivíduos que desrespeitam e não têm a menor consideração para com sua natureza feminina intuitiva. Se você está em sintonia com a sua orientação interior, não há como tornar-se seriamente desequilibrado em relação ao seu ambiente natural.

Exatamente como o nosso corpo é a manifestação da nossa consciência em forma física, a Terra é a manifestação da nossa consciência de massa. Em certo sentido, a Terra é o nosso corpo "coletivo". A maneira como a tratamos espelha aquilo que sentimos pelo nosso próprio corpo.

A falta de respeito e sintonia para com nosso corpo é demonstrada em termos globais pela maneira como tratamos a nossa Terra. À medida que aprendemos a gostar e a confiar em nosso corpo; a ouvir seus sinais; a dar-lhe o alimento, o descanso e o carinho de que precisa; a parar de poluí-lo com drogas e alimentos nada saudáveis e a pararmos de tentar controlá-lo com nossa crença do que está certo ou errado, não acredito que iremos continuar a maltratar o nosso "corpo Terra".

Precisamos ter a vontade de identificar e de curar toda forma de violência, de pobreza e de desequilíbrio dentro de nós como indivíduos, se esperamos erradicar do nosso mundo esses problemas. A cura não ocorre num nível pessoal ou planetário enquanto estivermos escondendo ou negando nossos sentimentos. Todos os sentimentos, idéias, crenças e modelos emocionais devem ser levados para a luz da consciência para que possam ser dissolvidos. Quando a luz brilha na escuridão, a escuridão desaparece.

A cura do mundo

As pessoas ficam sempre falando sobre a situação terrível em que se encontra o mundo. De muitas maneiras, as coisas parecem estar indo de mal a pior, o que pode ser assustador.

Isso me ajudou muito a perceber que o mundo atualmente está passando por uma grande crise de cura, muito semelhante em sua forma à crise pela qual estão passando as pessoas.

Quando nós, como indivíduos, começamos a despertar para a luz, também começamos a ter consciência da escuridão em que estávamos mergulhados. Os modelos de vida que antes pareciam "normais" começaram a parecer cada vez mais loucos a partir da perspectiva da sanidade recém-adquirida. Os medos e distorções que foram negados e ignorados porque eram muito dolorosos de olhar, começam a vir à nossa consciência para serem liberados. Problemas que eram "varridos para debaixo do tapete" aparecem para serem resolvidos.

É isto o que vejo acontecer em nível mundial hoje. Se identificarmos o aparente caos e dor que existem no mundo como sendo uma gigantesca manifestação do nosso processo individual de cura, podemos ver que se trata de um passo muito positivo. Em vez de nos sentirmos vítimas, podemos identificar o trabalho da energia do universo. Valorizamos a nós mesmos como canais pelos quais a cura do mundo se manifestará. Na época atual, quanto mais luz tivermos para viver mais escuridão estaremos vendo. Quanto mais aceitarmos estas duas polaridades dentro de nós, mais depressa o mundo será curado.

A ação social e política

Algumas pessoas que ouviram falar destas idéias se enfureceram, acreditando que eu esteja endossando uma preocupação narcisista que nega os problemas do mundo e nega a necessidade da ação social e política. Com um pouco mais de discussão, geralmente (embora nem sempre!) consigo fazer com que compreendam que não é bem assim. Ter vontade de lidar interna e individualmente com a fonte de origem do problema é simplesmente a maneira mais prática e mais eficaz de efetuar uma verdadeira mudança. Isso não nega a necessidade de uma ação externa em grande escala.

A questão para mim está na fonte e na motivação para essa ação. Vejo que as pessoas, em geral, são movidas pelas suas "boas idéias", mais do que pelo universo que existe dentro delas. Em geral, elas são motivadas pelos seus sentimentos de dor, medo e culpa quando desejam "fazer algo por um mundo melhor". Isso é o ego saindo de uma posição de desamparo e medo, lutando em vão para fazer algo que erradique estes sentimentos. Infelizmente, esta abordagem apenas perpetua os problemas que tenta resolver.

A causa subjacente dos problemas do mundo são o medo, a dor e a ignorância que sentimos por estarmos desligados da energia do universo. Se continuamos a projetar nossos problemas para fora de nós mesmos e deixamos de identificar a força interior que realmente temos, acho que iremos apoiar exatamente os mesmos males que estamos combatendo.

Por outro lado, se desejamos assumir responsabilidades pelos nossos medos e lidar com eles, abriremos o caminho para que possamos escutar a voz do universo que está em nós. Se ela nos disser para empreender uma ação, podemos ter a certeza de que essa ação será forte e verdadeiramente eficiente.

Por exemplo, uma amiga minha tornou-se muito ativa no movimento pelo desarmamento nuclear. Quando falava sobre o assunto e sobre o seu trabalho, era evidente que ela estava incrivelmente apavorada com a possibilidade de uma guerra nuclear. Esta é realmente uma reação razoável, dada a insanidade da corrida nuclear. O problema, como eu via, era que ela não estava reconhecendo o próprio pânico e as questões de impotência e morte com que ela lutava internamente. E por isso as ações e palavras dela tinham uma característica frenética – quase como uma pessoa que estivesse se afogando e tentando em vão agarrar-se a qualquer coisa.

Aos poucos, no decorrer de muitos anos, eu via seu trabalho passar por esta fase do processo. Acredito que ela tenha atingido um nível mais profundo de confiança no universo. Ela continuou com sua atividade antinuclear porque era algo em que acreditava seriamente e descobriu uma grande satisfação em fazer isto, mas sua energia estava bastante diferente. Havia grande força e vigor no seu envolvimento, que acredito que a tenha tornado muito mais eficiente em seu trabalho.

Os mesmos princípios que se mantêm na arena social e política valem para quaisquer outras áreas da vida: se você estiver fazendo aquilo que acha que "deveria" fazer, se está essencialmente motivado pelo medo e pela culpa, não importa o quanto sejam boas as suas ações, você provavelmente não está sendo tão eficiente quanto gostaria de ser e talvez esteja atrapalhando mais do que ajudando.

Por outro lado, se você *está* mesmo confiando na sua intuição e seguindo o seu coração – indo para onde sua energia o leva e fazendo aquilo que você realmente quer fazer – verá que *tudo* o que faz tem um efeito positivo na mudança do mundo. Você será capaz de identificar a natureza transformadora das suas ações. Para muitos, isto incluirá a ação social e política direta, e você a estará realizando porque gosta muito de fazê-lo! As pessoas à sua volta também serão muito mais afetadas pela sua energia e vitalidade do que pelas suas palavras e ações.

Por enquanto, minha orientação interior me disse que viver minha vida como estou fazendo – escrevendo livros, dando seminários, explorando minha criatividade, sendo eu mesma – é o que eu pessoalmente tenho de estar fazendo para efetuar o máximo de mudanças na minha vida e no mundo. Também tenho uma forte impressão de que poderei algum dia me envolver ativamente na política (como já estive envolvida em minha vida) – talvez ocupando algum posto político qualquer! Sei que se eu tiver de fazer isso, acharei uma aventura muito interessante fazê-lo. Tenho muita curiosidade de ver o que o universo tem reservado para mim.

A mídia

Uma vez fui informada pela minha orientação interior de que a televisão seria a salvação do mundo! Resisti a essa idéia porque não sou fanática por televisão. Entretanto, consegui reconhecer que, por mais chatos e idiotas que sejam, como a maioria dos programas hoje em dia, é evidente que a televisão é um instrumento extraordinariamente poderoso para atingir, num instante, milhões de pessoas. Acho que não foi por acaso que ela se desenvolveu nesta época e é provável que, muito em breve, seja encontrada em quase todas as casas no mundo inteiro.

Embora atualmente seja controlada por pessoas cuja consciência está completamente enraizada no velho mundo, ainda assim acontecem ocasionais lampejos de criatividade. É apenas uma questão de tempo, até que a consciência do novo mundo comece a penetrar na programação da televisão com certa regularidade e de modo mais significativo.

Sem a menor dúvida, a televisão é um grande instrumento educativo. Com o universo no comando, ela pode literalmente tornar-se um "canal" e proporcionar uma "rede" para atingir instantaneamente uma grande maioria da população do mundo com novas idéias positivas.

Você pode imaginar donas-de-casa vendo novelas em que as pessoas passam por todos os dramas costumeiros, mas, em vez do desespero e do fatalismo típicos, haja uma intenção de aprender e de crescer através das contingências da vida? Isso poderia ser algo bastante interessante, com o habitual conteúdo de sexo e romance, nascimento e morte, drogas e doenças, casamento e divórcio, mas os personagens poderiam ser vistos usando suas provações e tribulações de maneira positiva para evoluir em sua consciência, exatamente como estamos aprendendo a fazer. Uma vez que as donas-de-casa tenham isso, é certo que os filhos e maridos o tenham em menos tempo ainda!

É evidente que a força da mídia – rádio, jornais, revistas e livros, não esquecendo a televisão – não tem rival em seu potencial para uma rápida mudança positiva, uma vez que a nossa consciência de massa esteja pronta para essa transformação.

Um método em cinco etapas para a cura pessoal e planetária

1. Afirme para si mesmo: *A força do universo está me curando e me transformando. Enquanto vou sendo curado e transformado, todo o mundo vai se curando e transformando.*

2. Observe as questões sociais, políticas e ambientais à sua volta. Preste uma atenção especial às que provocam maior reação emocional em você. Peça para ver como elas podem refletir suas questões pessoais, seus medos, idéias e crenças individuais. Talvez de imediato você não veja nenhuma conexão, mas continue aberto para receber esta informação através do seu canal intuitivo.

3. Peça para a luz do universo liberar e curar toda a escuridão da ignorância, todo medo e limitação em você e no mundo. Esteja aberto para qualquer orientação interior que você possa receber, no sentido de procurar apoio em seu processo de cura junto a um psicólogo ou terapeuta, junto a amigos, num seminário, num grupo ou de qualquer outra forma.

4. Visualize com regularidade a sua vida e o mundo da maneira como você gostaria que fossem (veja a meditação no final deste capítulo).

5. Peça à sua orientação interior que o deixe saber claramente se existe alguma ação específica que você deva empreender para curar-se a si mesmo e ao mundo. Continue depois a confiar e a seguir sua intuição, sabendo que você será levado a fazer o que for necessário.

O processo das crenças negativas básicas

Este processo examina a crença negativa subjacente em qualquer situação da sua vida. Uma vez que você esteja desejando olhar para essas crenças, poderá começar a dissolvê-las, transformando-as em afirmações.

Você poderá usar este método a sós ou com um parceiro. Se estiver sozinho, escreva as respostas para as perguntas. Se estiver com alguém, afirme essas respostas para o seu parceiro. Uma pessoa responde a todas as perguntas e a outra escuta, invertendo depois os papéis.

1. Comece fechando os olhos. Inspire profundamente e vá relaxando o corpo ao exalar. Mais uma inspiração profunda e relaxe a mente ao exalar. Mais uma inspiração profunda e, ao exalar, passe para um lugar muito profundo e tranqüilo no seu interior. Torne-se consciente de que você é um co-criador com o universo. Você pode escolher aquilo em que acredita, aquilo que cria e qual a sua experiência na vida. Pode optar por tornar-se consciente das velhas atitudes e crenças que o estão limitando. Depois, libere-as e adote crenças e atitudes que irão dar-lhe apoio para expressar mais o seu verdadeiro ser.

2. Escolha uma questão ou um setor de sua vida em que você queira trabalhar. Poderia ser um problema que está tendo ou algo que sente que o está segurando em termos de crenças e medos. Abra os olhos e leve cerca de dois minutos para descrever ao seu parceiro (ou para escrever) qual é a questão com que você deseja trabalhar.

3. Descreva os diferentes pensamentos que estão em sua mente a respeito dessa questão. Que padrões estão gravados e sempre se apresentam em sua mente? Por exemplo, quais são os prós e os contras dessa situação? Quais são as suas preocupações, medos e a programação que você tem? O que passa pela sua mente?

4. Quando você pensa sobre essa questão, o que sente emocionalmente? Por exemplo: eu me sinto triste, furioso, interessado, frustrado ou feliz...

5. Quando você toma consciência dos sentimentos emocionais sobre a questão, que espécie de sentimentos observa em seu corpo? Você nota algum lugar que esteja enrijecido ou tenso? Observa algum lugar onde haja energia nervosa, dormência ou tensão? O que sente em seu corpo físico em relação a esses sentimentos emocionais?

6. Descreva a pior coisa que poderia acontecer se o seu maior

medo se tornar uma realidade. Qual seria esse medo? Se o seu pior medo se tornar realidade, qual seria a pior coisa que poderia acontecer depois disso? E depois, qual a pior dentre as piores?

Feche os olhos e encare o seu pior medo. Dê a si mesmo uma oportunidade para sentir o que ele é e fique no mesmo espaço, junto com o seu pior medo; em vez de fugir, sinta-o. Será que ele tem muita força sobre você? É algo sobre o que agora você quase consegue rir, ou ainda contém algum medo real para você?

Agora peça ajuda ao universo. Tome esse medo e o entregue ao universo, entregue-o ao seu Eu superior. Peça uma ajuda, uma solução, força, sabedoria ou qualquer coisa de que precise para poder liberá-lo. Inspire profundamente. Quando exalar, sinta que está se desapegando de tudo. Quando se sentir pronto, abra os olhos e descreva o que acabou de sentir.

7. Agora, indo na direção oposta: qual é a melhor coisa que lhe poderia acontecer? O que é que você realmente quer? Qual seria a cena ideal para você nessa situação? Descreva-a exatamente da maneira como a deseja. Feche os olhos e relaxe. Imagine que você acaba de conseguir isso, exatamente da maneira como o deseja. Imagine e sinta toda a situação como se ela já existisse exatamente como você quer que ela seja. Como é? Experimente-a. Depois, coloque a cena dentro de uma linda bolha cor-de-rosa. Uma vez feito isso, lance-a pelo ar. Agora você está entregando a bolha cor-de-rosa com a sua cena ideal para o universo. Ela agora está livre para atrair o que precisar para a sua manifestação.

8. Quando você abrir os olhos, pergunte-se que crença negativa ou medo têm impedido você de criar o que deseja. Qual é o seu pensamento mais negativo ou o seu maior medo em relação a este setor da sua vida? Por exemplo: “Não consigo ter o que desejo”, “Não mereço” ou “Ninguém gosta de mim”. Uma vez que você tenha determinado quais são as suas idéias negativas, anote-as no papel.

9. Você agora pode transformar suas idéias negativas em afirmações positivas. Veja na página 192, no capítulo sobre O corpo ideal, como anotar suas afirmações. Escreva ou diga a sua afirmação periodicamente, até que ela se torne real para você.

Meditação

Sente-se ou deite-se numa posição confortável. Respire profundamente algumas vezes e relaxe o corpo. Imagine-se caindo lentamente num lugar profundo e tranqüilo dentro de si mesmo. Sinta-se entrando em contato com esse lugar de energia e de criatividade, a sua fonte de energia.

Dessa fonte de energia, projete-se no futuro – um mês, seis meses, alguns anos ou mais – e, nessa projeção, veja-se exatamente da maneira como você gostaria de ser. Você é o criador do seu universo e a sua vida é exatamente como você a planejou.

Comece observando como se sente espiritual e emocionalmente. Sinta a força e o vigor que existem dentro de você. Você confia na sua intuição e age segundo a sua voz interior. Por causa disso, os milagres se desdobram à sua volta.

Veja o seu corpo. Qual é a sua aparência e como se sente fisicamente? Você agora tem um corpo que convém ao seu espírito – forte, corajoso, bonito, cheio de vida e energia. Sinta como é isso.

Como é que você cuida do seu corpo? O que você come e como toma conta de si mesmo?

Observe como você se veste. Veja-se vestido exatamente da maneira como gostaria de vestir-se. Você usa muito bem as suas roupas. Quando abre seus armários e gavetas, você tem ali exatamente as roupas que deseja.

Como é a sua casa? Veja-se vivendo exatamente onde quer viver. Você criou o seu ambiente como o deseja. Veja-se ali. Sinta como é viver de uma forma perfeitamente adequada a você. Talvez você tenha muitas casas em diferentes lugares do país ou pelo mundo afora. Esteja em todas elas.

Você encontrou o emprego ideal e uma saída criativa e recebe muito dinheiro para fazer as coisas que mais gosta de fazer. Veja-se expressando de um modo que lhe traz muita alegria.

Depois disso, olhe para todas as pessoas da sua vida. Você tem agora relacionamentos que estão vivos, são apaixonados e criativos. As pessoas gostam muito de você. Se tiver um companheiro especial, sinta o prazer e a intimidade que isso lhe proporciona.

Depois, desse lugar de criatividade e alegria, olhe para o mundo. Imagine o mundo como um espelho da transformação que ocorreu dentro de você. Sinta a cura do planeta. Imagine o mundo transformado, sendo exatamente como você gostaria que ele fosse.

Quando tiver feito isto, afirme: "*Isto, ou alguma coisa ainda melhor, está agora se manifestando para o bem de todos os envolvidos.*"

24
Uma visão

Da janela do meu apartamento, olho através da baía e vejo a bela cidade de San Francisco. A luz refletida na água e no contorno da cidade está sempre mudando. Às vezes é nebulosa e brumosa, às vezes luminosa e brilhante, mas tem sempre um ar místico. Talvez esta visão tenha inspirado uma imagem que vejo muitas vezes:

Vejo uma cidade antiga, cinzenta e em decadência. Ela está literalmente se desintegrando; as velhas estruturas acumulando-se em pilhas de fragmentos de tijolos. Mas ela está sendo empurrada para o lado, pois está surgindo em seu lugar uma nova e linda cidade. Essa nova cidade é mágica – ela parece rebrilhar delicadamente com todas as cores do universo. Eu sei que ela está sendo construída dentro de nós e que é toda feita de luz.

SHAKTI CENTER

Há muitos anos meu sonho foi criar um centro-escola para que os que estão fazendo a transição do velho para o novo mundo tenham um ambiente que apóie a aprendizagem, o crescimento e a criatividade. Agora o sonho está se tornando uma realidade. Criei o Shakti Center, uma instalação própria para seminários, no condado de Marin, Califórnia (perto de San Francisco).

O Shakti Center oferece aulas, seminários, grupos de apoio permanentes, um programa para o treinamento de professores e um programa de artes criativas. Também organizamos retiros especiais e intensivos no Havaí e em outros lugares, bem como seminários de fim de semana por todo o país (EUA), coordenados por mim ou por Laurel King.

Para informações, escreva ou telefone para:

Shakti Center
P.O. Box 377
Mill Valley, California, 94942
(415) 927-2277

PARA PEDIDOS DE INFORMAÇÃO

Este é um convite para que você nos escreva [em inglês], para receber o nosso catálogo completo, para ver a seleção de livros e fitas que temos.

WHATEVER PUBLISHING, Inc.
P.O. Box 13257, Northgate Station
San Rafael, California 94913
(415) 472-2100

Leia também

VISUALIZAÇÃO CRIATIVA

SHAKTI GAWAIN

Best-Seller internacional, com mais de meio milhão de exemplares vendidos, *Visualização Criativa* contém meditações, exercícios e técnicas que podem passar a fazer parte da sua rotina diária, para aumentar seu domínio pessoal sobre a vida.

Este livro ensina a usar sua imaginação criativa natural de uma maneira cada vez mais consciente, como uma técnica capaz de criar aquilo que cada um deseja: amor, realização pessoal, alegria, relacionamentos gratificantes, trabalho compensador, expressão própria, saúde, vitalidade, beleza, prosperidade, harmonia, paz interior. . .

O método aqui apresentado por Shakti Gawain tem sido usado com sucesso nas áreas da saúde, da educação, dos negócios, bem como no atletismo e nas artes criativas.

Mágico, no sentido mais elevado e mais realista do termo, o método aqui apresentado pela autora envolve a compreensão dos princípios naturais que governam as forças do Universo e ensina como utilizá-los para mudar radical e positivamente o seu modo de viver.

GUIA PARA UMA CONSCIÊNCIA SUPERIOR

Ken Keyes, Jr.

Muitos são os leitores que, por carta, externaram suas opiniões a respeito deste novo livro de Ken Keyes, Jr. Transcrevemos abaixo algumas delas:

"Este livro abriu meu coração para o amor. Ele entrou na minha vida numa época em que eu precisava desesperadamente dele, trazendo uma mensagem que me comoveu profundamente. Os métodos nele propostos de fato funcionam! Estou aplicando esses métodos à minha vida e sei o que é sentir-se feliz e estar em paz durante quase todo o tempo. Comprei dez exemplares para dá-los aos meus amigos mais íntimos e queridos e, quando quis recuperar o meu, cada um dos exemplares havia saído das mãos de quem o havia recebido originalmente. Para mim, esse *é o caminho*. Estou muito grata por ter encontrado, afinal, o meu caminho!"

"Ao longo dos últimos 18 anos, li mais de 600 livros sobre a expansão da consciência. Considero o *Guia para uma consciência superior* o mais inspirado, viável e benéfico de todos."

"O livro de Ken Keyes, Jr. transformou-se no meu amigo mais íntimo – numa companhia constante, com a qual posso contar sempre que preciso."

"Trata-se de uma ajuda significativa, bem definida, para viver uma vida mais alegre de amor, de aceitação de nós mesmos e dos demais, e de unicidade com nós mesmos, com os outros e com o universo."

"Este livro tem sido uma alegria e um conforto para mim; tem sido uma fonte de refúgio quando não sei mais para onde me voltar. Trabalho de uma vida, contém uma síntese das principais filosofias apresentadas de uma forma prática, fácil de compreender."

"Cada página tem um sentido absoluto. É como ver as palavras há muito enraizadas em meus sentidos; é como rever velhos amigos. Este Guia é um esquema de vida e, através de seu uso diário, a vida pode mudar de forma dramática."

"O Guia de Ken Keyes, Jr. mudou e está mudando a minha vida de um modo incrível. Estou aprendendo a ver como tenho (dentro e fora de mim) muito mais do que virei a precisar."

MÃOS DE LUZ

Barbara Ann Brennan

Este livro é de leitura obrigatória para todos os que pretendem dedicar-se à cura ou que trabalham na área da saúde. É uma inspiração para todos os que desejam compreender a verdadeira essência da natureza humana.
ELISABETH KUBLER-ROSS

Com a clareza de estilo de uma doutora em medicina e a compaixão de uma pessoa que se dedica à cura, com quinze anos de prática profissional observando 5000 clientes e estudantes, Barbara Ann Brennan apresenta este estudo profundo sobre o campo energético do homem.

Este livro se dirige aos que estão procurando a autocompreensão dos seus processos físicos e emocionais, que extrapolam a estrutura da medicina clássica. Concentra-se na arte de curar por meios físicos e metafísicos.

Segundo a autora, nosso corpo físico existe dentro de um "corpo" mais amplo, um campo de energia humana ou aura, através do qual criamos nossa experiência da realidade, inclusive a saúde e a doença. É através desse campo que temos o poder de curar a nós mesmos.

Esse corpo energético – pelo qual a ciência só ultimamente vem se interessando, mas que há muito é do conhecimento de curadores e místicos – é o ponto inicial de qualquer doença. Nele ocorrem as nossas mais fortes e profundas interações, nas quais podemos localizar o início e o fim de nossos distúrbios psicológicos e emocionais.

O trabalho de Barbara Ann Brennan é único porque liga a psicodinâmica ao campo da energia humana e descreve as variações do campo de energia na medida em que ele se relaciona com as funções da personalidade.

Este livro, recomendado a todos aqueles que se emocionam com o fenômeno da vida nos níveis físicos e metafísicos, oferece um material riquíssimo que pode ser explorado com vistas ao desenvolvimento da personalidade como um todo.

Mãos de Luz é uma inspiração para todos os que desejam compreender a verdadeira essência da natureza humana. Lendo-o, você estará ingressando num domínio fascinante, repleto de maravilhas.

EDITORA PENSAMENTO

IDÉIAS EM PERSPECTIVA

Paul Brunton

Paul Brunton foi um homem de dignidade silenciosa e cordial, dono de excelente humor. Dedicou-se inteiramente à Verdade fazendo dela o compromisso de sua vida. Escrevia diariamente sobre assuntos relativos à busca da auto-realização espiritual, e o aprofundamento de sua compreensão e visão durante os trinta anos em que permaneceu silencioso para o público refletiu-se de modo eloqüente em seus últimos escritos.

A Editora Pensamento oferece, assim, neste primeiro volume da série THE NOTEBOOKS OF PAUL BRUNTON, um importante texto sobre filosofia espiritual. O autor, já bastante conhecido dos leitores brasileiros, assim se refere à sua obra:

> "Não foi sem relutância que me aventurei a divulgar em voz alta as experiências íntimas recebidas em comunhão solitária e secreta com a natureza. De bom grado eu as teria guardado até que este corpo se fosse, quando o destino delas não me diria mais respeito. Mas a ordem dos meus Guias espirituais foi tal que essas palavras saíram publicadas.
>
> Escrevi este livro porque, numa era em que as duas concepções opostas do homem estão lançando o mundo em disputas, revolução e guerra, há uma clara necessidade do testemunho pessoal dos que *conhecem* a verdade, de preferência ao testemunho dos que acreditam nela.
>
> O melhor conselho hoje é: mantenha-se calmo, *alerta*. Não deixe que a pressão do ambiente mental viole o que você sabe que é real e fundamentalmente verdadeiro."

EDITORA PENSAMENTO

O PODER DO PENSAMENTO POSITIVO

NORMAN VINCENT PEALE

Eis alguns capítulos deste livro: *Tenha Confiança em Si Mesmo — O Espírito Tranqüilo Gera Energias — Como ter Constante Energia — Recorra ao Poder da Oração — Como Criar a Sua Própria Felicidade — Acabe com a Exaltação e Agitação — Espere Sempre o Melhor e Consiga-o — Não Acredito em Fracassos — Como acabar com as Preocupações — Como Solver os Problemas Pessoais — Como Empregar a Fé na Cura — Quando a Vitalidade Estiver em Declínio, Experimente esta Fórmula de Saúde — O Influxo de Novos Pensamentos Poderá Fazer de Você um Novo Homem — Acalme-se para que Possa Adquirir Facilmente Novas Fôrças — Como Fazer as Pessoas Gostarem de Você — Receita para a Amargura — Como Recorrer ao Poder Supremo — Epílogo.*

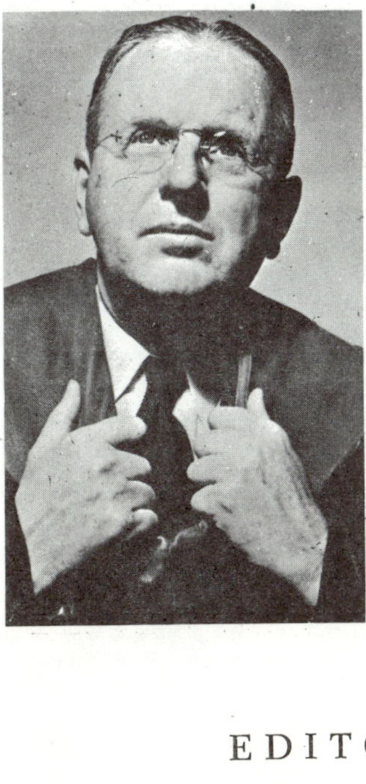

Norman Vincent Peale é professor do "New York's Marble Collegiate Church", de Nova Iorque. Considerado na América do Norte como o ministro dos "milhões de ouvintes" e como doutor em "terapêutica espiritual", tornou-se popular através de sua colaboração na imprensa, rádio e televisão e pelos admiráveis volumes em que vem reunindo o melhor de sua constante pregação, particularmente aquela que desde 1937 mantém num dos mais ouvidos programas radiofônicos dos Estados Unidos. Milhares de consultas chegam-lhe diariamente de todos os recantos do mundo. E milhões de pessoas já lhe agradeceram os conselhos e sugestões que as levaram a reencontrar a felicidade perdida.

★

EDITORA CULTRIX

Editora Pensamento
Rua Dr. Mário Vicente, 374
04270 São Paulo, SP
Fone 272-1399

Livraria Pensamento
Rua Dr. Rodrigo Silva, 87
01501 São Paulo, SP
Fone 36-3722

Gráfica Pensamento
Rua Domingos Paiva, 60
03043 São Paulo, SP